clarino.extra

Band 9

Thema Klarinette

Fachliches, Praktisches und Unterhaltsames

DVO Druck und Verlag Obermayer GmbH, 86807 Buchloe

Bibiografische Information der Deutschen Nationalbibliothek
Die Deutsche Nationalbibliothek verzeichnet diese Publikation in der Deutschen National-
bibliografie; detaillierte bibliografische Daten sind im Internet über http://dnb.ddb.de abrufbar.

© 2016 by DVO Druck und Verlag Obermayer GmbH, Buchloe
www.dvo-verlag.de

2. Auflage

Umschlaggestaltung: Stefanie Waldmann
Lektorat: Katja Klose
Satz und Druck: DVO Druck und Verlag Obermayer GmbH

ISBN 978-3-943037-04-3

Editorial

Der Klarinettist Giora Feidman hat mir einmal in einem Interview unmissverständlich seine Meinung kundgetan: »Ein Klarinettist, der die Bassklarinette spielt, ist noch lange kein Bassklarinettist.« Worauf er hinauswollte war, dass jedes Mitglied der Klarinettenfamilie ein vollwertiges ist und vor allem, dass jedes Instrument für sich »eine Institution« ist. Natürlich könne ein B-Klarinettist auch die Bassklarinette spielen – aber schließlich könne ein Hornist ja auch Tuba blasen.

Die Geschichte der Klarinette reicht weit zurück, denn bereits in altägyptischer Zeit, in der klassischen Antike und im Mittelalter wurden bereits Einfachrohrblattinstrumente gespielt. Als Vorläufer gilt das Chalumeau. Um 1700 begannen deutsche Instrumentenbauer – allen voran Johann Christoph Denner –, das Chalumeau weiterzuentwickeln. Seitdem hat das Instrument – in all seinen Facetten – einen beeindruckenden Siegeszug in der Musikwelt genommen. Keine Musikrichtung kommt ohne sie aus. In der sinfonischen Blasmusik ist sie ebenso zu Hause wie im Klezmer, im Jazz und in der Volksmusik. Ein großer Freund war schon Wolfgang Amadeus Mozart, der 1778 an seinen Vater schrieb: »...ach, wenn wir nur clarinetti hätten! – sie glauben nicht was eine sinfonie mit flauten, oboen und clarinetten einen herrlichen Effect macht!«

Dieses Buch befasst sich, wie der Untertitel verdeutlicht, mit »Fachlichem, Praktischem und Unterhaltsamem« zum Thema Klarinette. Historisches spielt eine Rolle, und vor allem die Praxis kommt nicht zu kurz. Und selbstverständlich kommen einige ausgewählte Protagonisten zu Wort.

Die Reihe *clarino.extra* dient dem Leser als gleichermaßen praktisches wie unterhaltsames Nachschlagewerk und beinhaltet thematisch sortierte Fachartikel aus der Zeitschrift *Clarino* bzw. *clarino.print*. Im Januar des Jahres 1990 erschien die erste Ausgabe der Clarino – internationale Zeitschrift für Blasmusik. Seit nunmehr über 20 Jahren informiert diese Zeitschrift – mittlerweile mit dem Namen clarino.print – über die internationale Bläsermusik. Die Inhalte sind aktuell, erstklassig recherchiert, fundiert und beziehen Position.

Klaus Härtel
Chefredakteur clarino.print

Inhalt

Fotonachweis

Herbert Wittal
Wilfried Hösl
Klara Gierig
André Krellmann
Mats Bäcker
Thomas Rabsch

Das unmögliche Instrument

Wie die Klarinette wurde, was sie ist

Ihr Tonumfang ist der größte aller Blasinstrumente und theoretisch nach oben unbegrenzt. Ihre Dynamik reicht von ppp bis fff, ihr Klangverhalten umfasst mehrere Persönlichkeiten zwischen mysteriös und schrill. Vor allem aber ist die Klarinette eines: ein ewiger Patient.

Weit über Nürnberg hinaus genoss Johann Christoph Denner den Ruf, einer der besten Instrumentenbauer zu sein. Vor allem die neuen Instrumente aus Frankreich, den zierlichen Hautbois, der schnell den alten Pommer verdrängt hatte, und die flûte à bec, die Schnabelflöte, baute keiner weit und breit so kunstreich wie er. Denner hätte zufrieden sein können, doch er war ehrgeizig: Ob es wohl möglich wäre, fragte er sich, dem Chalumeau, diesem alten, einfachen Volksinstrument mit Anschlagzunge, ebenfalls eine zeitgemäße Gestalt zu geben, sodass die Herren Compositeure sich seiner genauso annähmen wie der Oboe und der Blockflöte? Das Problem beim Chalumeau war der geringe Tonumfang, der gerade mal die Oktave erreichte – eindeutig zu wenig für anspruchsvolle Musikwerke. Denner begann zu basteln: Er nahm eine Blockflöte, applizierte ihr ein einfaches Rohrblatt, bohrte zusätzliche Tonlöcher, die über Hebel zu bedienen waren – und hatte Erfolg damit. Tonsetzer wie Telemann und Graupner verlangten in ihren Partituren bald diesen neuen Chalumeau.

Doch Denner war nicht zufrieden. Er und sein Sohn experimentierten weiter, gaben dem Chalumeau Birne (Mundstück) und Stürze (Schallbecher) und veränderten Länge und Form der Röhre. Mithilfe eines besonderen Tonlochs gelang es Denner schließlich, dass man das Instrument überblasen konnte: Das war bei der Oboe das Geheimnis ihres Erfolgs gewesen. Doch dummerweise sprang Denners Instrument beim Überblasen nicht in die Oktave, sondern in die Duodezime, die Quint über der Oktave. Denner kannte noch nicht den Begriff der geschlossenen Röhre, aber das Prinzip war ihm wohl von der gedackten Orgelpfeife her vertraut: Das enge zylindrische Rohr seines neuen Instruments in Verbindung mit dem besonderen Mundstück lässt die Schallwelle im Rohr hin und zurück wandern. Der Grundton klingt daher eine Oktave tiefer als erwartet und die Schwingung ist nicht halbierbar, sondern springt beim Überblasen gleich in den 3. Partialton, den 2. Oberton.

Und damit fingen die Probleme an. Wenn die erste Lage eineinhalb Oktaven umfasst, brauchte das Instrument nicht 11 Tonschritte, sondern 18, also mehrere zusätzliche Tonlöcher – und wie sollte man das Spiel darauf mit nur 10 Fingern bewältigen? Schlimmer noch: Beim Überblasen in die Duodezime entsprachen die Tonlochabstände nicht mehr der temperierten Stimmung – das Instrument klang falsch und verstimmt. Ein Irrweg, eine Sackgasse, eine Fehlgeburt? Es gab kein Zurück: Komponisten wie Vivaldi und Händel stürzten sich geradezu auf Denners Erfindung, die 1732 den Namen »Klarinette« (kleine Clarin-Trompete) erhielt – wegen des klaren, durchdringenden Tons des Überblasregisters. Tonumfang, Dynamik, Klangflexibilität machten das Instrument bald unverzichtbar. Mozart erklärte den Erfolg der Klarinette mit ihrer Nähe zur menschlichen Stimme: Zu seiner Zeit hatte sie bereits fünf Zusatzklappen.

200 Jahre lang waren die Instrumentenbauer damit beschäftigt, dieses wundervolle, unmögliche Instrument zu retten – seine Fehler zu kor-

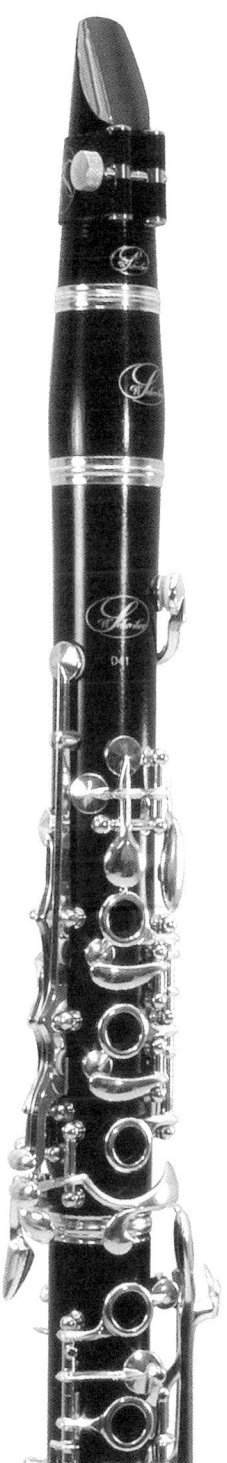

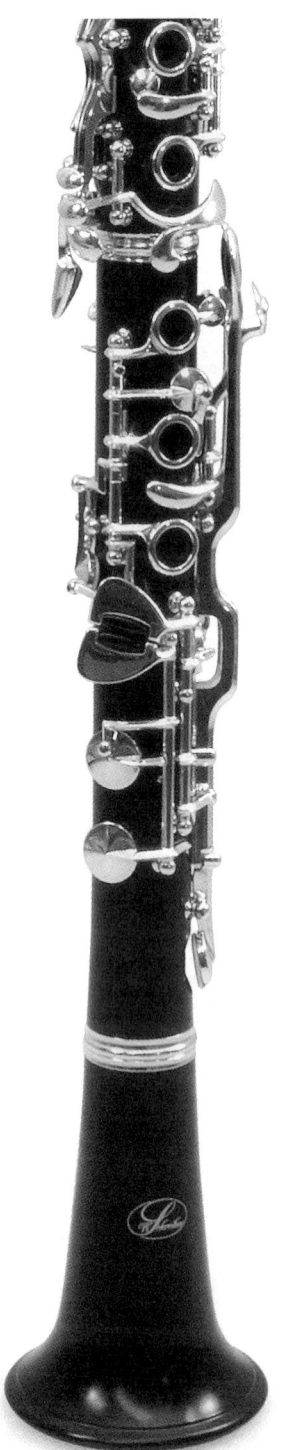

rigieren, seine Unzulänglichkeiten auszutricksen. Man hat den Tonumfang der Klarinette erweitert, Klang und Intonation verbessert und ihre virtuose Spielbarkeit erleichtert. Man hat zusätzliche Löcher gebohrt, ständig neue Klappen, Hebel, Rollen, Federn und Ringe angebracht. Man fand Lösungen, Teillösungen, Hilfslösungen und viele Kompromisse. Letztlich liegt es am Spieler, die Defizite des Instruments durch Ansatz und Tongebung auszugleichen. In den Worten des berühmten klassischen Klarinettisten Jack Brymer (1915 bis 2003): »Die Fähigkeit, Klarinette zu spielen, ist die Fähigkeit, die Unvollkommenheiten des Instruments zu überwinden.«

Ein Jahrhundert nach Denner räumte ein gewisser Iwan Müller aus Reval mit einigen Kompromissen auf. Er veränderte das Klarinettenblatt, führte die Blattschraube ein sowie »erhabene« Ringe um die Grifflöcher. Vor allem ging es ihm um die Tonreinheit des Instruments: Müller berechnete die akustisch korrekte Platzierung aller Tonlöcher für alle Register und kam zu dem Schluss, dass er 13 Klappen benötigte. Da der Hebeldruck nicht immer ausreichte, um die Klappen fest zu schließen, erfand er dafür die Löffelklappe mit luftdichtem Lederpolster. Am Konservatorium in Paris verweigerte man ihm dennoch die Anerkennung, denn Konservatorien denken natürlich konservativ. Müllers chromatische Klarinette empfand man dort als Bedrohung des Charakters der einzelnen Tonarten und damit als Angriff auf die Klarinettenfamilie. Die Müller-Klarinette blieb eine deutsche Angelegenheit.

Spieltechnische Erleichterungen

30 Jahre später entschied man in Paris anders, aber diesmal waren die Erfinder auch Franzosen. Der Virtuose Hyacinthe Klosé und der Instru-

mentenbauer Louis-Auguste Buffet entwickelten um 1840 eine »clarinette à anneaux mobiles« mit 17 Klappen. Sie griffen bei der Verbesserung der Intonation auf die Prinzipien der Böhm-Flöte zurück, adaptierten deren Klappen- und Hebelsystem und führten bei der Klarinette die Ringklappe ein, die die Fingerkuppe »vergrößert«, um größere Löcher zu schließen und gleichzeitig eine zweite Klappe an anderer Stelle bewegen kann. Klosé waren aber auch spieltechnische Erleichterungen wichtig: die Reduzierung von Gabelgriffen, die Entlastung der kleinen Finger, Alternativgriffe für schnelle Läufe. Als Klarinettenprofessor am Pariser Konservatorium hatte Klosé genug Einfluss, um das Instrument durchzusetzen, und lieferte seinen Studenten auch gleich Lehrwerk und spezifische Kompositionen für die neuartige Grifftechnik. Erst die deutsche Firma Mollenhauer taufte Klosés Erfindung 20 Jahre später »Böhm-Klarinette«.

Der Belgier Eugène Albert hat sich einige bautechnische Elemente der Böhm-Klarinette ausgeliehen und damit um 1860 die deutsche Müller-Klarinette verbessert. Zweifellos war Alberts Instrument intonationsgenauer als die Böhm-Klarinette seiner Zeit. Als in den USA 1865 die Sklaverei abgeschafft wurde und Afroamerikaner erstmals gebrauchte Armee-Instrumente erwerben konnten, war die Albert-Klarinette der Standard – und wurde zum Instrument des New-Orleans-Jazz. Alle frühen Jazzklarinettisten – Sidney Bechet, Barney Bigard, Johnny Dodds, Edmond Hall, Jimmie Noone und Dutzende anderer – spielten die Albert-Klarinette. Sie schätzten ihren vollen, runden Klang und die Biegsamkeit der Töne. Raymond Burke (1904 bis 1986) sagte: »Ich habe nie Böhm-System gespielt. Ich frage mich, wozu sie das überhaupt bauen. Wozu all die Tasten und ein halbes Dutzend Alternativen, um einen Ton hervorzubringen? Je

weniger Tasten und Löcher, desto besser!« Selbst Woody Allen spielt in seiner Dixie-Band Albert-Klarinette – zwecks größerer Authentizität: »Die Grifftechnik muss wohl die Phrasierung beeinflussen.« Auch in der türkischen und Klezmer-Musik hat sich das Albert-System erhalten.

Die letzten größeren Neuerungen am deutschen System entwickelte um 1890 der Klarinettist Oskar Oehler, ein Gründungsmitglied der Berliner Philharmoniker. Ihm ging es bei seiner 22-Klappen-Klarinette vor allem um eine klangliche Verbesserung: Die Idee für die Oehler-Mechanik kam ihm im Wirtshaus nach dem dritten Bier. Auch viele andere ingeniöse Instrumentenbauer und Virtuosen haben an der Klarinette mitgebastelt, um einige ihrer Unvollkommenheiten zu korrigieren. Hier sind nur ein paar der wichtigsten Namen: Adolphe Sax (Ringklappen), Carl Baermann (Doppelhebel), Joseph Tyler (Cis-Patent), Robert Stark (Trillerklappe), Pupo Pupeschi (Mechanik) oder Rosario Mazzeo (Ringhebel). Neben der Böhm-Klarinette gibt es auch die Voll-Böhm, neben der Oehler-Klarinette auch die Voll-Oehler. Der Klarinetten-Historiker kennt außerdem die Reform-Boehm von Wurlitzer, die weiterentwickelte Böhm von Antonio Romero y Andía (28 Löcher, neue Griffhaltung), die Patentklarinette von Heckel, die Deutsche Normalklarinette von Mollenhauer, die Wiener Klarinette, die Baermann-Ottensteiner oder die Schmidt-Kolbe. Klarinettenbau ist eine schwierige Wissenschaft.

Bis heute ungeschlichtet ist der Streit zwischen Böhm-System und deutschem System. Die Böhm klingt schärfer, heller, vielfältiger, begünstigt das Vibrato, die Virtuosität, die schnellen Läufe, die Eleganz und den Geldbeutel. Die Oehler oder Albert klingt wärmer, dunkler, obertonärmer, begünstigt die Tonbeugung und das

Glissando, verlangt Gabelgriffe, Zungen- und Fingertricks. Trotz seines Vornamens ist ausgerechnet der Dixieland-Bläser Albert Nicholas (1900 bis 1973) – anders als seine Kollegen – seiner Albert-Klarinette einst untreu geworden: »Sie musste überholt werden und ich ließ sie dafür nach Frankreich schicken. Ich musste mich in der Zwischenzeit mit einer Böhm behelfen und als die Albert wiederkam, hatte ich die Griffe vergessen...«   *Hans-Jürgen Schaal*

Erschienen in clarino.print 5/2010

Die Klarinette im 18. Jahrhundert

Eine Entwicklungsgeschichte

Schon lange bevor die Klarinette im 18. Jahrhundert in die verschiedenen Stilbereiche der europäischen Kunstmusik eindrang, aus der sie heute nicht mehr wegzudenken ist, waren in der europäischen und außereuropäischen Volksmusik bereits verschiedene Klarinetteninstrumente in Gebrauch. Aus dem Bemühen, die menschliche Stimme nachzuahmen, entstanden die ersten Blasinstrumente in der Frühzeit der Menschheitsgeschichte.

Diese einfachen Knochen- oder Holzpfeifen sind die ersten heute bekannten primitiven Holzblasinstrumente. Das wichtigste Instrument unter den verschiedenen Pfeifen mit einfachem Rohrblatt, die über Jahrtausende hinweg in Gebrauch waren, war die im Mittelmeerraum nachgewiesene Doppelklarinette, die besonders in der Kultur Ägyptens eine wichtige Rolle spielte.

In der europäischen Volksmusik treffen wir vorwiegend auf die Einzelklarinette, die in den einzelnen Regionen des Kontinents in unterschiedlichen Formen überliefert ist: als altwalisischer Pigborn, als baskische Alboquea, als russische Brjolka sowie als Chalumeau, das als unmittelbarer Vorläufer der modernen Klarinette zu sehen ist. Die Klarinette als solche ist damit keine Erfindung des 18. Jahrhunderts, sondern war in anderer Form schon viel früher bekannt. Erst im 18. Jahrhundert jedoch fand sie, in technisch verbesserter Form, Eingang in die europäische Kunstmusik, während sie in den Jahrhunderten vorher ausschließlich im Bereich der Volksmusik bekannt war.

Das Chalumeau als Vorläufer der Klarinette

Als Vorläufer der Klarinette gilt das sogenannte Chalumeau, ein zylindrisches, mit einfachem

Chalumeau in C, Anfang 18. Jahrhundert, Stadtmuseum München

Chalumeau in F, um 1705, Stadtmuseum München

Rohrblatt versehenes, klarinettenartiges Instrument, das schon seit geraumer Zeit einen festen Platz in der europäischen Volksmusik hatte. Die Entwicklungsgeschichte des Chalumeau ist in vielen Punkten ungeklärt; erschwert werden die Forschungen auf diesem Gebiet durch die Tatsache, dass sich kein einziges Originalinstrument aus der Familie des Chalumeau erhalten hat. Das Instrument ist zwar auf vielen Zeichnungen abgebildet und wird auch in der musiktheoretischen Literatur immer wieder erwähnt, doch reichen diese Quellen kaum aus, um ein vollständiges Bild von diesem Instrument zu entwerfen. Wie die Klarinette scheint auch das Chalumeau erst im 18. Jahrhundert in die Kunstmusik eingedrungen zu sein; bisher sind jedenfalls keine Kompositionen vor 1700 bekannt, in denen das Chalumeau verlangt wird. Erst im folgenden Jahrhundert taucht die Bezeichnung in den Partituren auf.

In Walthers »Musicalischem Lexikon« von 1732 werden unter dem Stichwort »Chalumeau« vier verschiedene Instrumente beschrieben; außerdem weist Walther ausdrücklich darauf hin, dass es sich um ein »kleines Blasinstrument« handele. Schriftlich belegt ist auch die Tatsache, dass das Instrument in verschiedenen Tonlagen gebaut wurde: als Diskant-, Alt-, Tenor- und Basschalumeau. Durch diese Familienbildung versuchte man, den begrenzten Tonumfang des Instruments, der über eine Duodezim kaum hinausging, auszugleichen. Das gebräuchlichste Instrument scheint allerdings das Diskantchalumeau gewesen zu sein, das auch auf verschiedenen zeitgenössischen Abbildungen zu sehen ist.

Ob zu Beginn des 18. Jahrhunderts zwischen Klarinette und Chalumeau immer eindeutig unterschieden wurde, ob also mit jedem in der Literatur erwähnten Chalumeau tatsächlich

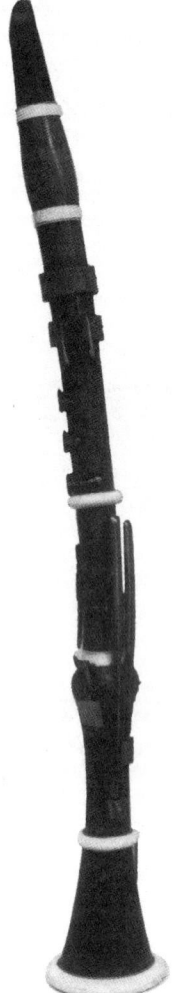

Klarinette in A, um 1820, Stadtmuseum München

ein solches Instrument oder nicht vielleicht doch bereits eine frühe Klarinette gemeint war, ist fraglich. Häufig werden von den Komponisten beide Bezeichnungen verwendet, zum Beispiel »Airs à deux clarinettes ou deux chalumeaux«. Dennoch ist es durchaus wahrscheinlich, dass es schon damals mitunter zu Verwechslungen zwischen beiden Instrumenten gekommen ist, wie auch heute die eindeutige Unterscheidung von Chalumeau und Klarinette, vor allem in der Frühzeit der Instrumente, nicht immer leicht fällt. Fest steht, dass wohl kein grundsätzlicher Wesensunterschied zwischen den Instrumenten bestand, dass also in dieser Hinsicht das Chalumeau sehr wohl als unmittelbarer Vorläufer der modernen Klarinette zu sehen ist. Wegen seiner charakteristischen Klangfarbe war das Chalumeau, trotz technischer Unzulänglichkeiten und begrenztem Tonumfang, bei den Komponisten der Zeit durchaus beliebt und wurde vor allem für opernhafte Effekte und zur Erzielung von pastoralen Klangwirkungen eingesetzt.

Die Erfindung der Klarinette durch Denner

Die »Erfindung« der modernen Klarinette geht auf den Nürnberger Instrumentenbauer Johann Christoph Denner (1655 bis 1707) zurück, der nach den »Nachrichten von den Nürnberger Mathematicis und Künstlern« von 1730 »zu Anfang dieses lauffenden Seculi, eine neue Arth von Pfeiffen-Wercken, die sogenannte Clarinette, zu der Music-Liebenden großen Vergnügen ausfande, endlich auch die Chalumeaux verbesserter darstellte«. Schenkt man diesem Hinweis Glauben, so muss die Klarinette, da Denner bereits 1707 starb, zwischen 1700 und 1707, also unmittelbar zu Beginn des 18. Jahrhunderts, entstanden sein. Ausgangspunkt für Denners technische Neuerungen scheint das Chalumeau gewesen zu sein, dessen begrenzten Tonumfang es zu erweitern galt. Dies geschah zunächst durch die Einführung von zwei diametral gelagerten Klappen sowie durch die Erfindung des Klarinettenmundstücks.

Durch weitere technische Veränderungen (Weiterung der Mensur, Einführung von Stürze und Birne und Erschließung des Überblasregisters)

konnte das Instrument weiter verbessert und seine musikalischen Möglichkeiten erweitert werden. Auch Denners Sohn Jacob bemühte sich um die Weiterentwicklung der Klarinette, indem er die dritte Klappe einführte und damit einen wichtigen Wendepunkt in der Geschichte des Instruments herbeiführte. Zwar waren die chromatischen Möglichkeiten noch immer begrenzt

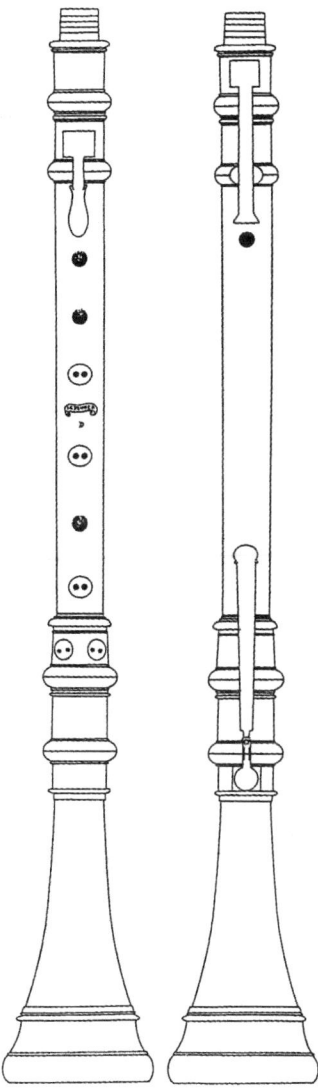

Denner-Klarinette (nach Hoeprich)

– manche Halbtöne waren nur schwer, andere überhaupt nicht auszuführen –, doch war mit Jacob Denners Dreiklappenklarinette immerhin ein leistungsfähiges, wenn auch technisch unvollkommenes Instrument vorhanden, das rasch Eingang in die europäische Orchestermusik fand.

Aus dem Jahre 1740 stammt die vermutlich älteste bildliche Darstellung eines Klarinettisten. Die originale Bildunterschrift liefert anschauliche Hinweise auf die frühe Verwendung des Instruments: »Clarinett. Wann der Trompeten-Schall will allzulaut erthönen, so dient das Clarinet auf angenehme weiß es darf den hohen Ton auch niedern nicht entlehnen und wechselt lieblich um: Ihm bleibt hierdurch der preiß. darum manch Edler Geist, dem dieses werck beliebet Sich Lehr-begierig zeigt und embsig darin übet.«

Die barocke Zwei-Klappen-Klarinette aus Joh. Christoph Weigels »Musicalischem Theatrum«

Technische Entwicklung und regionale Verbreitung

Schon wenige Jahre nach der Erfindung der Klarinette durch Denner lässt sich die Existenz und zunehmende Verbreitung des Instruments im süddeutschen Raum nachweisen. In Denners Heimatstadt Nürnberg wurden schon 1712 vier Klarinetten aus Buchsbaum, damals offensichtlich das bevorzugte Material für die Herstellung von Klarinetten, für die Ratsmusik angeschafft. Doch auch über die engeren Grenzen von Denners Heimat hinaus begann die Klarinette an Boden zu gewinnen. 1716 erschien im Musikalienkatalog der Firma Estienne Roger et Le Cène in Amsterdam die Klarinette erstmals im Titel einer Komposition: »Nr. 348 Airs à deux Chalumeaux, deux Trompettes, deux Clarinettes ou Cors de Chasse ou deux Hautbois«. Wenige Jahre später taucht die Klarinette in einer Messkomposition des Antwerpener Kapellmeisters Jean Adam Joseph Faber von 1720 auf, wo sie in der Einleitung zum »Qui tollis« sogar als konzertierendes Instrument verwendet wird.

Außerhalb des deutschen Sprachraums scheint die Klarinette erst um die Jahrhundertmitte in Gebrauch gekommen zu sein. In zunehmendem Maße begann sie dann allerdings, die Oboe von ihrer Position als führendes Holzblasinstrument zu verdrängen; dies gilt in besonderem Maße für die französische Militärmusik, wo die Klarinette bald eine führende Stellung einnehmen konnte. Einige bedeutende Komponisten des frühen 18. Jahrhunderts machten schon früh von dem neuen Instrument Gebrauch. Bei Vivaldi ist die Frage der Verwendung von Klarinetten noch nicht endgültig geklärt, während bei Telemann der Gebrauch von Klarinette bzw. Chalumeau zweifelsfrei belegt ist. Von Carl Philipp Emanuel Bach stammen sechs Sonaten für Klarinette, Fagott und Cembalo sowie einige kleinere Stücke, in denen die Klarinette vorwiegend in der hohen Lage geführt ist. Auch sein Bruder Johann Christian Bach wandte sich der Klarinette zu und verwendete sie in seinen Bläsersinfonien für die Freiluftkonzerte in Vauxhall Gardens. Von Georg Friedrich Händel stammt eine kleine Ouvertüre für zwei Klarinetten und Horn, die 1748 komponiert wurde. Durch den französischen Komponisten Jean Philipp Rameau schließlich fand die Klarinette Eingang in das französische Opernorchester und eroberte sich damit einen wichtigen künftigen Wirkungsbereich.

Klarinette im barocken Glanz – Die Konzerte Molters

Haben wir es bei diesen Komponisten noch vorwiegend mit vereinzelten Belegen für die frühe Verwendung der Klarinette zu tun, so weist das Schaffen des Durlacher Kapellmeisters Johann Melchior Molter (ca. 1695 bis 1765) einen deutlichen Schwerpunkt bei den Kompositionen für Klarinette auf. Von ihm stammen die frühesten bisher bekannten Solokonzerte für Klarinette, die etwa um 1747 entstanden sind. Abgesehen vom allgemeinen musikgeschichtlichen Wert dieser Konzerte ist an ihnen auch der vergleichsweise hohe Stand der technischen Entwicklung des Instruments erkennbar, das zu diesem Zeitpunkt kaum 40 Jahre alt war, sich aber offensichtlich bereits zu einem ausgereiften und beliebten Konzertinstrument entwickelt hatte.

Molters Konzerte verlangen vom Solisten hohes technisches Können und weisen sich damit keineswegs als Frühwerke der Klarinettenliteratur aus, sondern zeigen, dass die Klarinettenmusik schon damals eine bemerkenswerte Blastradition aufzuweisen hatte. Die formal und stilistisch in sich einheitlichen Kompositionen lassen in der Gestaltung der Solostimme deutlich das Vorbild der Clarinpraxis erkennen: So bewegt sich die Solostimme vorwiegend in der hohen Lage des Instruments und zeichnet sich durch virtuose und technisch anspruchsvolle Gestaltung aus. Ganz offensichtlich ist die Klarinette in der Frühzeit ihrer Entwicklungsgeschichte als Ersatz für die Clarintrompete gebraucht worden, was auch durch theoretische Äußerungen der Zeit über die Ästhetik des Klarinettenklangs belegt wird. Trotz der clarinmäßigen Führung des Soloinstruments handelt es sich bei Molters Konzerten aber zweifelsfrei um Klarinettenkonzerte, die allerdings einen Eindruck von der ursprünglichen Konzeption der Klarinette als barockes Blasinstrument vermitteln. Die formal an Vivaldi orientierten Konzerte sind für eine Dreiklappenklarinette in D-Stimmung geschrieben, deren helle Klangfarbe dem barocken Charakter der Konzerte entgegenkommt und deutlich auf die Nähe der Klarinette zu Trompeteninstrumenten in dieser Phase ihrer Entwicklungsgeschichte hinweist.

Auf dem Weg zur Klassik

Sind die Konzerte Molters noch ganz der barocken Tradition verhaftet, so sind die Klarinettenkonzerte Franz Xaver Pokornys (1729 bis 1794) schon ganz der frühklassischen Epoche zuzurechnen. Sie entstanden um 1765 am Hof zu Oettingen-Wallerstein und bilden nur einen kleinen Teil seines umfangreichen musikalischen Schaffens, das unter anderem 50 Sinfonien, über 100 Klavierkonzerte und zahlreiche andere Kompositionen zu unterschiedlichen Gelegenheiten umfasst.

Im Gegensatz zu den Molter'schen Konzerten wird hier nun erstmals auch die Tiefenlage der Klarinette, das sogenannte Chalumeau-Register, verstärkt genutzt; auch steht das Soloinstrument nun nicht mehr, wie im barocken Concerto grosso, dem Orchester als konzertierendes Instrument gegenüber, sondern hat selbst Anteil am orchestralen Geschehen und nähert sich damit der Form des klassischen Solokonzerts, sowie die Konzerte überhaupt auf den allgemeinen Stilwandel hinweisen, der sich um die Mitte des 18. Jahrhunderts in der Musik vollzog.

Der neue musikalische Stil, der sich in den Konzerten Pokornys ankündigt und der nicht zuletzt in der charakteristischen Führung der Soloklarinette seinen Ausdruck findet, steht in engem Zusammenhang mit der sogenannten Mannheimer Schule, die in der zweiten Hälfte des 18. Jahrhunderts großen Einfluss auf die europäische Musikentwicklung, vor allem im Bereich der Orchestermusik, nahm. Für die Verbreitung des Klarinettenspiels ist die Mannheimer Hofkapelle von so entscheidender Bedeutung, dass man lange Zeit hier ihren Ursprung gesehen hat. Zwar haben neuere Forschungen gezeigt, dass Mannheim nicht der Ausgangspunkt für die europäische Verbreitung der Klarinette gewesen ist, doch steht außer Zweifel, dass diese Stadt hier eine entscheidende Zwischenstation darstellt. Die Verwendung der Klarinette wurde als ein wesentliches Merkmal des von den Zeitgenossen so gerühmten Mannheimer Orchesterklangs empfunden. Darüber hinaus entstanden in Mannheim bedeutende Klarinettenkonzerte, unter anderem von Karl Stamitz, Ernst Eichner und Georg F. Fuchs. Die technisch anspruchsvollsten Konzerte der Mannheimer Schule schrieb Franz Tausch, der selbst Klarinettist war und diese Konzerte für den eigenen Gebrauch verfasste.

Vom Neben- zum Hauptinstrument

Hand in Hand mit der Entwicklung und Verbreitung von Klarinettenmusik im 18. Jahrhundert ging der Aufstieg der Instrumentalisten, die sich dem neuen Instrument zuwandten. Schon Molters Klarinettenkonzerte wurden für einen bestimmten Musiker geschrieben, nämlich für J. Reusch, dessen Instrument zunächst die Flöte war und der sich später dann mit großem Erfolg der Klarinette widmete. Mitglieder der Thurn- und Taxis'schen Hofkapelle zu Regensburg waren die Klarinettisten Wack und Engelhard Engel, und gegen 1758 sind M. Quallemberg und Hampel in der Mannheimer Hofkapelle für die Klarinette nachweisbar.

Schon bald verfügten die meisten Hof- und Privatkapellen über Klarinettisten, die sich spätestens in den 80er- bzw. 90er-Jahren des Jahrhunderts eine gesicherte Position in den Orchestern erobert hatten. Viele dieser Musiker unternahmen ausgedehnte Konzertreisen in ganz Europa, so der Wiener Klarinettist Anton Stadler, für den Mozart unter anderem sein berühmtes Klarinettenkonzert schrieb.

Die Epoche des musikalischen Virtuosentums bescherte der Klarinette einen enormen Aufschwung: Sie wurde nun zu einem der bevorzugten Instrumente der Instrumentalvirtuosen, da sie dem neuen Klangideal der beginnenden Romantik in besonderer Weise entsprach. Trotz der technischen Mängel, die das Instrument noch immer aufzuweisen hatte, fanden sich viele verdienstvolle Künstler, die sich der Pflege des Klarinettenspiels mit großer Hingabe widmeten und viele Komponisten zu entsprechenden Kompositionen anregten. Der Einfluss, den diese ausübenden Blasmusiker auf die schaffenden Künstler ausübten, kann wohl kaum hoch genug eingeschätzt werden. Viele Kompositionen für die Klarinette sind den individuellen spieltechnischen Möglichkeiten des Spielers, für den sie entstanden sind, in eindrucksvoller Weise angepasst und vermitteln daher nicht nur ein Bild vom musikalischen Stilwandel der Zeit, sondern auch von der musikalischen Kapazität der ausführenden Virtuosen.

Bevor die Klarinette jedoch zum bevorzugten Soloinstrument aufsteigen konnte, galt es zunächst, sich einen Platz in den Orchestern zu erobern. In den Kapellen der Adelshöfe konnte sich die Klarinette schon früh neben anderen Holzblasinstrumenten behaupten, obgleich sie zunächst nur als Nebeninstrument verwendet wurde. Erst um die Jahrhundertmitte wurden eigene Klarinettisten in die Orchester aufgenommen und mit solistischen Aufgaben betraut. Es kann aber kein Zweifel darüber bestehen, dass das Klarinettenspiel an den Adelshöfen schon vorher verbreitet war und die Klarinette vor allem in den Kreisen der Aristokratie ein besonders beliebtes Instrument war. So wurde die Klarinette in Wien erst 1787 offiziell in die Hofkapelle aufgenommen, war aber bereits fast 20 Jahre zuvor in der Wiener Straßenmusik bekannt, wie Charles Burney, der große Musikschriftsteller des 18. Jahrhunderts, in seinem »Tagebuch einer musikalischen Reise« 1770 berichtet: »Alle Mittage und Abende war bey dem Essen, in dem Gasthofe zum goldenen Ochsen, worinn ich abgetreten war, Musik; aber gewöhnlich war sie schlecht, besonders die von einer Bande mit blasenden Instrumenten, welche niemals fehlten, sich während des Tisches einzustellen. Diese bestund aus Waldhörnern, Clarinetten, Hoboen und Bassons; alle so jämmerlich verstimmt, daß ich sie auf hundert Meilen weit wegwünschte.« Fällt Burneys Urteil über die Qualität der Musik hier auch nicht gerade rühmlich aus, so beweist sie doch, dass die Klarinette schon lange vor ihrer Aufnahme in die großen Orchester in musikalischem Gebrauch war.

Klarinettenschulen und Lehrwerke

Schon bald wurde die Klarinette Gegenstand musiktheoretischer Lehrwerke. In den 30er-Jahren des 18. Jahrhunderts erschienen in den musiktheoretischen Schriften von Joseph Friedrich Bernhard Casper Majer (1689 bis 1768) und Johann Philipp Eisel (1698 bis 1756) Grifftabellen für die Klarinette, die in zahlreichen Punkten auffallend voneinander abweichen. Zwar beziehen sich beide Lehrwerke auf die Denner'sche Zweiklappenklarinette, die damals das am häufigsten verwendete Instrument war, doch zeigen die abweichenden Angaben, dass sich zumindest in der ersten Hälfte des Jahrhunderts noch keine einheitliche Blastechnik entwickelt hatte. Die Grifftabellen bei Majer und Eisel variieren nicht nur im Umfang des Instruments, sondern auch bei den einzelnen Griffen, wobei die bei Eisel angegebenen Griffe der heutigen Praxis näherstehen als die Majers.

Griffweise bei Majer 1732 und Eisel 1738 (nach Birsak 1972)

Neben diesen beiden Lehrwerken, die im Grunde allgemeine Musiklehren und keine speziellen Klarinettenschulen sind, entstanden gegen 1780 mehrere kleine Handbücher für die Klarinette, die heute nicht mehr erhalten sind. Die früheste Klarinettenschule im eigentlichen Sinn erschien 1785 in Paris und stammt von dem französischen Militärmusiker Armand Jean François Joseph Vanderhagen (1753 bis 1822), der damit den Grundstein für alle späteren Lehrwerke dieser Art legte. Allen Lehranweisungen des 18. Jahrhunderts ist gemeinsam, dass hier grundsätzlich von der Anblastechnik des »Übersichblasens« ausgegangen wird. Die heute übliche Technik des »Untersichblasens« ist erst eine Errungenschaft des 19. Jahrhunderts und steht in engem Zusammenhang mit der veränderten musikästhetischen Auffassung dieser Epoche.

Wie bisher gezeigt werden konnte, haben die Klarinette und die für sie entstandene musikalische Literatur im 18. Jahrhundert einen raschen Aufschwung genommen. Diese zunehmende Beliebtheit der Klarinette hängt eng mit der veränderten musikästhetischen Anschauung zusammen, die sich im 18. Jahrhundert und vor allem in dessen zweiter Hälfte allmählich durchzusetzen begann, denn »die zunehmende Gefühlsbetonung im Klangideal des 18. Jahrhunderts äußerte sich auch in einer stärker werdenden Betonung der emotionalen Einstellung dem Instrumentarium gegenüber, an das nunmehr primär der Maßstab der Empfindungsvermittlung angelegt wurde, und es ist nur folgerichtig, wenn Wert und Anerkennung eines Instruments von seiner Fähigkeit, die menschliche Stimme nachzuahmen, abhängig gemacht wurde«.

Dass diese Aufgabe der Imitation der menschlichen Stimme traditionell den Blasinstrumenten und hier vor allem den Holzblasinstrumenten zugewiesen wurde, versteht sich aus klanglichen Gründen nahezu von selbst; auffallend ist aber der Wandel, der sich dabei innerhalb der Instrumentengruppe vollzog: Noch das Zeitalter des Barock sah im Klang der Oboe die treffendste Wiedergabe der Sopranstimme, während das musikalische Rokoko diese Eigenschaft der Flöte zuwies, von der sie in der klassisch-romantischen Musikästhetik schließlich auf die Klarinette überging. Zunächst wurde in der Frühzeit der Klarinette jedoch von den Theoretikern übereinstimmend der trompetenähnliche Charakter des Instruments betont, der auch in der musikalischen Verwendung, beispielsweise im Solopart der Molter'schen Klarinettenkonzerte, seinen Ausdruck findet. So vergleicht zum Beispiel Walther in seinem »Musicalischen Lexicon« von 1732 die Klarinette zunächst mit der Oboe, der sie vor allem in der äußeren Gestalt ähnlich gewesen sein muss, meint dann aber, die Klarinette klinge »von ferne einer Trompete ziemlich ähnlich«.

Zum Teil hängt dieser trompetenartige Charakter sicher mit den damaligen Instrumenten zusammen, die vor allem in der hohen Lage tatsächlich trompetenähnliche Töne hervorbrachten. Mit der technischen Weiterentwicklung des Instruments veränderte sich auch dessen Klang, der nun häufig als weich, lieblich, empfindsam und träumerisch beschrieben wurde und damit dem neuen Klangideal der musikalischen Empfindsamkeit entgegenkam. Schubart beschreibt in seinen »Ideen zu einer Ästhetik der Tonkunst« den Klarinettenklang sogar als »in Liebe zerflossenes Gefühl«. Die Klarinette wird damit innerhalb eines Jahrhunderts von einem dem barocken Musikverständnis entsprechenden Instrument zum Inbegriff romantischer Musik und Klangästhetik und unterscheidet sich damit entwicklungsgeschichtlich von den meisten anderen Instrumenten, deren Charakter in unterschiedlichen musikalischen Epochen immer als derselbe empfunden wurde.

Mozart – Meister der Klarinette

Doch kehren wir vorerst zum 18. Jahrhundert zurück, das für die Entwicklung des Klarinettenspiels eine so wichtige Epoche darstellt. Einer der Komponisten, der sich in der zweiten Hälfte des Jahrhunderts dieses Instruments annahm und es in seinen Kompositionen mit besonderer Vorliebe gebrauchte, war Wolfgang Amadeus Mozart. Seine Bekanntschaft mit der Klarinette führt uns zunächst nach Mannheim zurück, das ja, wie bereits ausgeführt wurde, eine wichtige Rolle für die Verbreitung von Klarinettenkompositionen spielte. Auch Mozart zeigte sich vom beispielhaften Klang des Mannheimer Orchesters und insbesondere der Verwendung von Klarinetten besonders angetan und schrieb in diesem Zusammenhang am 3. Dezember 1778 aus Mannheim an seinen Vater nach Salzburg: »– ach, wenn wir nur auch clarinetti hätten! sie glauben nicht was eine sinfonie mit flauten, oboen und clarinetten einen herrlichen Effect macht.« Die frühe Vorliebe für die Klarinette fand ihren ersten künstlerischen Ausdruck in der wenig später entstandenen sogenannten »Pariser Sinfonie« (KV 297), der ersten Sinfonie Mozarts, in der Klarinetten auftauchen.

Mozart und Stadler

Mozarts wichtigste Klarinettenkompositionen stammen aber erst aus seiner späten Schaffensperiode und sind untrennbar mit dem Namen Stadler verbunden. Anton (1753 bis 1812) und Johann Stadler (1755 bis 1804) standen zunächst in den Diensten des russischen Gesandten am Wiener Hof, Fürst Galizin, und waren als Klarinettisten seit 1773 häufig an Konzerten der Wiener Tonkünstler-Sozietät beteiligt. 1783 wurden sie zu Mitgliedern der Kaiserlichen Harmonie ernannt, 1787 schließlich in die Wiener Hofkapelle aufgenommen. Neben diesen offiziellen Verpflichtungen wirkten die Brüder Stadler in zahlreichen öffentlichen und privaten Konzerten mit und gehörten im letzten Drittel des 18. Jahrhunderts zu den gefragtesten Wiener Musikern.

Dies gilt in besonderem Maße für Anton Stadler, der zu den besten Klarinettisten seiner Zeit gehörte und auf seinem Instrument zu erstaunlichen künstlerischen Leistungen fähig war. In einer Rezension von 1785 heißt es über Stadlers Spiel: »Sollst meinen Dank ha-

Anton Stadler

ben, braver Virtuos! was du mit deinem Instrument beginnst, das hört' ich noch nie. Hätt's nicht gedacht, daß ein Klarinet menschliche Stimme so täuschend nachahmen könnte, als du sie nachahmst. Hat doch dein Instrument einen Ton so weich, so lieblich, daß ihm niemand widerstehn kann, der ein Herz hat.«

Schon 1784 wirkte Stadler bei einer Akademie Mozarts mit, bei der »eine große blasende Musick von ganz besonderer Art von der Composition des Herrn Mozart«, wahrscheinlich die große Bläserserenade KV 361/370a, aufgeführt wurde. Intensiviert wurden die künstlerischen und privaten Beziehungen Mozarts zu Stadler nach dem Eintritt Stadlers in die Freimaurerloge »Zum Palmbaum« am 27. September 1785, der gelegentliches gemeinsames Musizieren der Freunde in den Kreisen der Freimaurer zur Folge hatte. Im Herbst 1791 reisten Mozart und Stadler nach Prag, wo Stadler bei der Uraufführung von Mozarts »La clemenza di Tito« die obligaten Klarinettenpartien spielte.

Bassklarinette von R. Tutz, Innsbruck

Stadlers ausdrucksvolles, sensibles und mitunter ausgesprochen virtuoses Spiel dürfte Mozart erst dazu angeregt haben, sich intensiver mit der Klarinette zu befassen. So wie viele seiner Vokalkompositionen für bestimmte Sänger und in deutlicher Anlehnung an deren individuelle sängerischen Fähigkeiten entstanden sind, so stehen auch die Kompositionen für Klarinette aus Mozarts Spätwerk in unmittelbarem Zusammenhang mit dem Künstler, für den sie geschrieben wurden. Stadlers Verdienste um die Klarinette sind jedoch nicht nur rein künstlerischer Natur, sondern betreffen auch die technische Seite des Instruments. So erweiterte Stadler die Klarinette nach unten um die Halbtöne Es, D, Cis und C und schuf damit die sogenannte Bassettklarinette, wie dieses Instrument von Jiří Kratochvil bezeichnet wurde.

Gerber beschreibt das Stadler'sche Instrument folgendermaßen: »Diese Abänderung von seiner Erfindung bestehet darinne, daß das Rohr nicht, wie gewöhnlich, bis ans Ende der Öffnung fortläuft, sondern im letzten vierten Theile des Intr. durch eine Querpipe, auswärts gebogen bis zur Oeffnung geht. Dadurch erhält das Instrument nicht nur mehr Tiefe, sondern auch in diesen letzten Tönen eine große Ähnlichkeit mit dem Waldhorne.« Stadlers Veränderungen bestanden also nicht nur in einer Erweiterung des Tonumfangs, sondern auch in einer veränderten Klangfarbe des Instruments vor allem in der tiefen Lage. Für eine solche Bassettklarinette, wie sie Stadler zur Verfügung stand, sind die meisten Klarinettenkompositionen Mozarts entstanden. Dazu gehören unter anderem das Bläserquintett KV 452, das sogenannte Kegelstatt-Trio KV 498 und das Klarinettenquintett KV 581, das ebenfalls für Stadler geschrieben wurde und in denen Mozart alle Möglichkeiten des Instruments ausnutzt. Das Klarinettenquintett KV 581 entstand 1789 und fällt damit in die Zeit vor der Oper »Così fan tutte«, die Mozart wenig später begann. Dass dieses Quintett ausdrücklich für Stadler bestimmt war, geht aus einem Brief Mozarts vom 8. April 1790 hervor, in dem er die Komposition als »des Stadlers Quintett« bezeichnet. Die Uraufführung fand am 22. Dezember 1789 in einer Akademie der Wiener Tonkünstler-Sozietät unter Mitwirkung von Stadler statt.

Mozarts Klarinettenkonzert

Mozarts bedeutendstes Werk für die Klarinette ist aber wohl das in seinem Todesjahr 1791 entstandene Klarinettenkonzert KV 622, das »auch innerhalb von Mozarts Gesamtschaffen… als eine der reifsten Instrumentalkompositionen angesprochen werden darf«. In seinem »Verzeichnüss aller meiner Werke« schreibt Mozart: »Ein konzert für die Clarinette. für Hr: Stadler den Ältern. begleitung. 2 violin, viole, 2 flauti, 2 fagotti, 2 Corni e Baßi.« Das Konzert, das kurz nach der Vollendung der »Zauberflöte« entstanden sein muss, hatte Mozart wohl ursprünglich für Bassetthorn konzipiert. Jedenfalls ist ein Entwurf eines Konzertsatzes für Bassetthorn (KV 584b) überliefert, der offensichtlich in den ersten Satz des Klarinettenkonzerts übernommen wurde. Das Konzert selbst ist, wie die meisten anderen Klarinettenkompositionen Mozarts, für die Stadler'sche Bassettklarinette geschrieben und wurde daher in der Neuen Mozart-Ausgabe in einer rekonstruierten Fassung für dieses Instrument herausgegeben.

Dass dieses Konzert, das sich längst einen festen Platz im allgemeinen Konzertwesen erobert hat, schon bei Mozarts Zeitgenossen großen Anklang fand, beweist eine Rezension der »Allgemeinen musikalischen Zeitung« aus dem Jahr 1802: »Rec.[ensent], der dieses herrliche Konzert in Partitur vor sich liegen hat, kann allen guten Klarinettisten die fröhliche Gewißheit ertheilen, daß kein anderer, als Mozart nur er es geschrieben haben kann; daß es folglich in Ansehung der schönen, regelmäßigen und geschmackvollen Komposition das erste Klarinett-Konzert in der Welt seyn muß; denn so viel dem Rec. bewußt ist, existirt nur dies eine von ihm.«

Das Bassetthorn

Auch das der Klarinette verwandte Bassetthorn gehörte zu jenen Instrumenten, zu denen sich Mozart besonders hingezogen fühlte. Der dunkle, verhaltene Klang dieses Instruments, das in F oder Es gestimmt war und um etwa eine Quart tiefer als die Klarinette war, scheint Mozart besonders gefallen zu haben und wurde von ihm für ganz bestimmte, charakteristische Klangwirkungen genutzt: Mit Bassetthorn instrumentiert ist zum Beispiel die Sarastro-Musik der »Zauberflöte« sowie die »Maurerische Trauermusik«, also jene Kompositionen, die in direkter oder indirekter Beziehung zum Freimaurertum stehen. Die größten klanglichen Wirkungen durch das Bassetthorn erzielte Mozart jedoch in seinem Requiem, das mit einem durch das zweite Bassetthorn vorgetragenen Thema beginnt und in seinem gesamten Verlauf durch die dunkle, schwermütige Klangfarbe dieses Instruments gekennzeichnet ist. Die Klarinette und die ihr verwandten Instrumente wie Bassettklarinette und Bassetthorn spielen für die Musik des 18. Jahrhunderts eine wichtige Rolle. Dies erklärt sich zum einen aus der Tatsache, dass die Klarinette, im Gegensatz zu anderen Holzblasinstrumenten wie Oboe und Fagott, zu dieser Zeit ein neues Instrument war und schon von daher Neugier und Interesse von Musikern und Komponisten weckte. Zum anderen eignete sich die Klarinette in besonderer Weise zur Erzielung bestimmter Klangwirkungen, die dem zunehmend gefühlsbetonten Musikideal des späten 18. Jahrhunderts und der beginnenden Romantik entgegenkamen. Das 19. Jahrhundert und damit die musikalische Romantik entwickelten schließlich eine besondere Vorliebe für die Klarinette, die in dieser Zeit tiefgreifenden technischen Verbesserungen unterzogen wurde und als Instrument von hochqualifizierten Solisten, aber auch im Repertoire der Orchestermusik bis heute eine wichtige Stellung einnimmt. *Irene Adrian Brandenburg*

Erschienen in Clarino 11/1992 und 12/1992

Giora Feidman

»Die Klarinette ist das Mikrofon meiner Seele«

»King of Klezmer«, »Magier der Klarinette«, »Gardel der Klarinette« – wie auch immer man diesen Mann bezeichnen mag, er ist auf jeden Fall ein lebendiges Stück Musikgeschichte, ein Virtuose am Instrument. Leonard Bernstein schwärmte enthusiastisch von ihm: »Er schlägt Brücken zwischen Generationen, Kulturen und Schichten, und er tut es mit vollendeter Kunst. Lang lebe Giora Feidman, seine Klarinette und seine Musik.«

Viel gelesen und gehört hat man von und über diesen Mann. Giora Feidman ist ein Klezmer, er spielt Klarinette und man mag ihn als einen Weltbürger jüdischen Glaubens bezeichnen. Mag man – stimmt aber alles nicht. Binnen kürzester Zeit – die Zeit zwischen Soundcheck und Konzert – hat er alle Kategorien, in die er vorher fein säuberlich eingeordnet worden war, pulverisiert. Giora Feidman lässt sich nicht in Schubladen stecken. Er neigt dazu, Fragen mit Gegenfragen zu beantworten – nicht um sein Gegenüber einzuschüchtern, zu verunsichern, sondern um damit einen Denkprozess in Gang zu setzen. Mit seiner äußerst humorvollen und liebenswürdigen Art funktioniert das auch. Aber – wer oder was ist er denn nun?

Natürlich, man kennt Giora Feidman, der 1936 als Sohn jüdischer Einwanderer in Buenos Aires (Argentinien) das Licht der Welt erblickt, als den »König der Klezmorim«. Seine Jugend wird durch die jüdische Musiktradition des Klezmer geprägt. Doch, wendet er ein, »was ist schon Klezmer-Musik?« Feidman wehrt sich dagegen, diese Musik als Stil einzuordnen. Das Wort Klezmer beinhaltet die beiden hebräischen Wörter »kli« (Übermittler) und »zemer« (Lied) und war ursprünglich eine Bezeichnung für Musikinstrumente. Ab dem 16. Jahrhundert meinte Klezmer dann den Spieler. »Der Körper ist das Instrument der Stimme«, erläutert Feidman diese Entwicklung. Ein Klezmer ist folglich der »Überbringer des Liedes«. Klezmer als Stil definieren zu wollen, bringe nur Verwirrung. Klezmer sei, so Feidman, keine Musik, sondern »eine Lebenseinstellung, ein Konzept, ein Way of Life«. Jeder sehe Musik anders: »Lass jemanden die Farbe Blau kreieren. Jeder Mensch wird ein anderes Blau als Ergebnis haben, doch wird es jedes Mal blau sein. Genauso ist das mit der Musik. Der eine macht dies, der andere jenes – und doch ist es immer Musik.«

Der 67-Jährige sieht sich definitionsgemäß als Überbringer des Liedes, aber: »Ich bin kein Klezmer, ich spiele auch nicht Piazzolla – das ist völlig zweitrangig, ich mache Musik.« Und Musik ist genau die Sprache, die jeder auf der ganzen Welt versteht. Dieses Denken hat Feidman sich angeeignet, und das will er weitervermitteln. »Der Mensch braucht den Gesang und den Tanz genauso zum Leben wie das Wasser, die Luft und den Schlaf«, sieht sich Feidman als Übermittler eines Grundbedürfnisses.

Was macht für ihn ein Konzert aus? Der Künstler kommt auf die Bühne und spielt Klarinette. Das Publikum kann das eben nicht und bezahlt deshalb für das Ticket. Nein, ganz sicher ist das nicht das Ereignis, das Giora Feidman zelebriert. Entscheidend sei das, was in den Zuhörern vorgeht, wenn sie das Konzert verlassen haben. Was sie mit nach Hause nehmen. Die Sprache der Musik soll in ihnen erhalten bleiben. Feidman ist ein Virtuose, ein Genie an der Klarinette. Er spielt die Musik von »Ora Bat Chaim« genauso überzeugend, so voller Inbrunst, wie etwa die Tangomelodien von Astor Piazzolla. Er weiß sehr wohl, dass er gut ist. Und er zeigt es. Der Klarinettenklang ist das Hauptaugenmerk seiner Konzerte. Selbst wenn er gerade Pause hat, steht er im Mittelpunkt. Er scheint die Streicher zu dirigieren, übt sich aber in der nächsten Szene in bescheidener Zurückhaltung. All das zeigt seine unbedingte Liebe zur Musik. Er will sie mit allen teilen. Will sich mitteilen.

Feidman stammt aus einer sehr musikalischen Familie. Vier Generationen prägen das musikalische Leben im Hause Feidman. Doch war das Erlernen eines Instruments nie ein Muss. Feidman erinnert sich noch an das Klavier im Haus. Die Klarinette wurde eher als Spielzeug gesehen: »Das war bei uns etwas, was man einem Kind gab – wie einen Ball.« Und schließlich wurde aus dem Hobby »Musik« doch der Berufswunsch »Musiker«.

Wie sieht er sein Instrument in der Familie der Blasinstrumente? Welche Stellung hat die Klarinette? »Was ist die Rolle einer Kaffeemaschine?«, beantwortet Feidman diese Frage mit der obligatorischen Gegenfrage. Feidman braucht die Klarinette, um Musik zu machen – nicht mehr, aber eben auch nicht weniger. Das Instrument ist für ihn Mittel zum Zweck. Da ist etwas in ihm, was raus muss: »Die Klarinette ist das Mikrofon meiner Seele.« Die Klarinette ist für den Virtuosen eben auch kein Instrument, eher noch ein Körperteil. Und als Spieler sieht sich der Musiker auch nicht: »Ich bin ein Sänger.« Spielen, das könnten Schauspieler. Jemand, der Napoleon spiele, der verkleide sich, um dem Zuschauer etwas vorzuspielen. Feidman hingegen möchte dem Zuhörer etwas von sich zeigen. Eben seinen Seelenzustand. Er hat eine Botschaft, eine menschliche Botschaft. Mit seiner Klarinette schreit er das völkerverbindende »Feel the planet!« heraus. Wie viele er damit erreicht? Er weiß es nicht. Die Frage bleibt wohl unbeantwortet.

Als was sieht er sich denn heute? Die ersten 21 Jahre seines Lebens verbringt er in Argentiniens Hauptstadt Buenos Aires. 1957 geht er nach Israel, wo er als jüngster Klarinettist in das Israel Philharmonic Orchestra aufgenommen wird. Er lebt heute in New York, ist aber eigentlich auf der ganzen Welt zu Hause. Ist er Kosmopolit, ein jüdischer Weltbürger? Die Gegenfrage »Und was sind Sie? Deutscher?« möchte man ei-

gentlich mit »ja« beantworten, wenn man nicht genau wüsste, dass Giora Feidman sein Gegenüber eines Besseren belehren wird: »Nein! Sind Sie nicht!« Energisch, nachdrücklich und genauso plausibel macht er klar, dass jeder Mensch in erster Linie ja nun einmal ein Erdenbürger sei. »Sie haben vielleicht einen deutschen Pass, aber was bedeutet das schon? Ich habe drei Pässe – aber sie sind unwichtig, ich sammle sie.« Es sei doch völlig gleich, woher jemand komme, welcher Religion er angehöre und was für eine Hautfarbe er habe. Zuerst sei jeder Mensch. »Erst dann kommen so völlig unwichtige Kategorien wie Deutscher oder Israeli, Christ oder Jude. Jeder ist ein Kosmopolit.«

Für Feidman existieren nationale und religiöse Unterschiede schlichtweg nicht. Und umgekehrt braucht man auch keine Musik, um herauszustellen, ob jemand Jude oder Christ, Deutscher oder Argentinier ist. Denn Klezmer-Musik selbst ist schließlich nicht religiös, Tango an sich nicht argentinisch. In einem Workshop, die er mittlerweile nicht mehr ganz so zahlreich gibt, musizierten einmal gerade anderthalb Juden: »Der eine war ich und dann war da noch ein Mädchen, deren Vater Jude war.« Der Klarinetten-Virtuose aus Argentinien mit Wohnsitzen in Tel Aviv und den Vereinigten Staaten und regelmäßigen Aufenthalten in Deutschland ist ein Weltbürger, einer, der von Grenzen und Schablonen nichts hält. »Wenn ich Musik mache«, sagt Feidman, »bin ich kein Jude, sondern trage eine Botschaft vom Frieden in die Welt. Ich war fast überall und habe erfahren, dass Musik selbst eine Prophezeihung, eine Religion ist. Jüdische Musik? Was soll das sein? Es ist Musik!«

Klaus Härtel

Erschienen in clarino.print 4/2003

Ein Muss im großen Blasorchester

Anmerkung zur Rolle der Es-Klarinette

Die Klarinette, zu Beginn des 18. Jahrhunderts erfunden, erlebte eine Entwicklung und Bedeutung wie kein anderes Blasinstrument. Zunächst vorrangig als Trompetenersatz eingesetzt, entwickelte sie sich aufgrund ihrer besonders ausdrucksstarken Spielmöglichkeiten und ihrer klanglichen Vielfalt zum heute verbreitetsten und vielseitigsten Blasinstrument. Gemeint ist die gesamte Klarinettenfamilie, die durch die großen Komponisten sowie die berühmten Solisten ihrer Zeit diesen Siegeszug unaufhaltsam zu Wege brachte. Wer hätte gedacht, welche Breitenwirkung und Bedeutung die Klarinette als einfaches Volksinstrument in den Blaskapellen, der sinfonischen Musik, dem Jazz, der Militärmusik und und und... finden würde? Es gibt keine Stilrichtung in der Musik, bei der die Klarinette fehl am Platz wäre und nicht passen könnte. Ich möchte mich mit diesem Bericht auf die hohe Es-Klarinette im heutigen Blasorchester beschränken, weil hier leider eine gegenläufige Entwicklung eingetreten ist.

Warum waren früher in der Militärmusik gar zwei Es-Klarinetten und oft zusätzlich die hohe As-Klarinette selbstverständlich? – Warum muss man diese Instrumente heute in der Regel im Blasorchester vergeblich suchen?

Liegt es einzig und allein daran, dass früher in der Regel die Freiluftkonzerte der Militärorchester den »scharfen« Klang der hohen Klarinetten brauchten und diesen gar forderten? – Weil vielleicht Blasorchester »ganz in Ordnung« seien, aber an ihrem Platz, draußen und mehrere Kilometer entfernt.

Ansichten wie diese galten selbst in früheren Zeiten als sehr gewagt. Große Blasorchester, die sich gut präsentieren, haben zwischenzeitlich viele Kritiker, selbst bis in oberste kulturelle Genres, vom Gegenteil überzeugen können.

Im Programmheft eines Konzerts der »Arbeitsgemeinschaft kultureller Organisationen Düsseldorf« am 15. März 1952 schrieb Paul Hindemith: »Von echter symphonischer Musik für Blasinstrumente wird man billigerweise nicht das altgewohnte Klangbild erwarten dürfen, das den üblichen Märschen, Charakterstücken und arrangierten Opern- und Konzertwerken ihr Gepräge gab und durch seine schablonenhafte Anwendung die ganze Gattung zum Verblassen verdammt und bei guten Musikern in Verruf gebracht hat: über hin und her hopsenden Bässen irgendwo in der Klangmasse eine Melodie, der unweigerlich in den Tenorhörnern eine Gegenmelodie sekundieren muss; dann eine Menge toten Harmoniefüllsels, womöglich mit nachschlagenden Hörnern, und obendrüber Figurationen von hohem Holz. Es muss vielmehr danach gestrebt werden, die Satz- und Formerwägungen, nach denen die Symphonik unserer gemischten Orchester geschrieben wird, auch hier anzuwenden – nicht durch bloße Übernahme, sondern in bewusster Anpassung an die so gänzlich andersgeartete Ausdrucksweise einer ausschließlich aus Bläsern bestehenden Spielergruppe mit ihrem zwar spröderen und starreren, dafür aber ungleich bunteren und naturklanghafteren Ton.«

Inzwischen sind viele Jahre vergangen, und wer die Entwicklung der Amateurblasorchester in der jüngsten Vergangenheit mitverfolgt hat, kommt sehr schnell zu der Erkenntnis, dass der Leistungsstand unserer heutigen Musiker/innen ein sehr hohes Niveau erreicht hat. An den gebotenen Leistungen bei »Jugend musiziert« und den verschiedensten Orchesterwettbewerben hätte heute sicher auch ein Paul Hindemith seine helle Freude!

Offenbar nicht erforderlich

Zurück zur Es-Klarinette! Leider sind in vielen heutigen Notenausgaben, vor allem aus den USA, in der Regel keine Stimmen für Es-Klarinette vorhanden. (Dies zunächst als ernüchternde Feststellung!) Im heutigen sinfonisch besetzten Blasorchester, in dem die Flöten meist auch chorisch besetzt sind und in dem auch mindestens zwei Oboen spielen, ist wohl nach Meinung dieser Komponisten und Arrangeure grundsätzlich keine Es-Klarinettenstimme erforderlich. Wenn

diese jedoch vorhanden ist, wäre zu prüfen, ob sie mit den Flöten bzw. Oboen »mitläuft« oder ob sie zumindest weitgehend obligatorisch oder gar solistisch geführt ist.

Ist dies der Fall, dann muss eine Es-Klarinette besetzt werden! Die Stimme sollte unter keinen Umständen auf die B-Klarinette transponiert und auf dieser gespielt werden – denn schließlich hat sich der Komponist oder Arrangeur über den bewussten Einsatz der Es-Klarinette seine Gedanken gemacht.

Klangfarbe

Hauptargument für das Besetzen einer Es-Klarinette ist die Klangfarbe. Ein Blasorchester mit einer hervorragend gespielten Es-Klarinette erhält einen ganz besonderen Sound, der sich wohltuend von dem heute oft uniformen Klang unterscheidet. Jede mögliche Erweiterung der Klangfarben im Blasorchester sollte unbedingt angestrebt werden!

Ein Blick in den Notenschrank bringt zutage, dass vor allen Dingen bei älteren Märschen eine Es-Klarinette zusätzlich zu den Flöten unverzichtbar und eine wunderschöne klangliche Bereicherung ist. Leider werden gerade diese Märsche – wenn überhaupt – meiner Meinung nach viel zu selten in der Originalinstrumentation gespielt (und wenn, dann leider oftmals in recht fragwürdigen Instrumentationen und Tonarten). Beim Interpretieren älterer Literatur wird man schnell feststellen, dass die grundsätzlich besetzte Es-Klarinette der Komposition einen ganz besonderen Kolorit verleiht.

Für die besten Klarinettisten

Wichtigste Voraussetzung bei der Besetzung einer Es-Klarinette ist, dass ein/e exzellente/r

Musiker/in aus dem leider etwas unterbewerteten Instrument (»Es-Quietsche«) »Clarin-Töne« zaubern kann und damit dem Blasorchesterklang eine ganz besondere Note beschert.

Das soll heißen: Die Besetzung dieses Instruments und der Stimme darf auf keinen Fall irgendeinem Musiker übertragen werden. Es muss eine/r der besten Klarinettist(inn)en sein. Außerdem muss man sein Instrument und den Klang lieben und mögen. Dies muss einhergehen mit einem wirklich guten Instrument und entsprechendem Material (Mundstück, Blatt etc.), was in heutiger Zeit um ein Vielfaches leichter ist als früher.

Mein dringender Appell an die Komponisten und Arrangeure: »Schreiben, besetzen und berücksichtigen Sie in Ihren Werken unbedingt die Es-Klarinette mit einer eigenständigen Stimme (auch solistisch)! Eine solche Herausforderung wird von den Orchestern und Musiker(inne)n dankend angenommen werden.«

Kompletter Klarinettensatz

Die Verantwortlichen im heutigen Blasorchester sollten sich bewusst sein und unbedingt darauf achten, dass gerade der komplett besetzte Klarinettensatz (von Bass über Alt, den »Normalen« bis hin zur Es-Klarinette) besetzt ist. (Ich erwähne bewusst nicht die Kontrabass-Klarinette, da diese aus meiner Erfahrung heraus viele Probleme bereitet. Von der Anschaffung des Instruments über das Spielen – ausschließlich Böhm-System und vieles mehr.)

In diesem Zusammenhang erinnere ich mich gerne an meinen letzten Urlaub in Spanien, bei dem ich Amateurorchester mit ca. 70 Aktiven hörte, die mit mehr als 40 Holzbläsern besetzt waren, und davon mindestens 30 Klarinettisten.

Die Klangvorstellung, die dort auch von den »normalen« Amateurblasorchestern gepflegt wird, bestätigte mich in meinem Klangideal in jeder Hinsicht.

Erst eine große Anzahl an Holzbläsern allgemein, Klarinetten von Bass bis zur Es-Klarinette im Besonderen, verleiht einem Blasorchester den warmen, abgerundeten Sound. Es ist im Grunde wie bei den großen Sinfonieorchestern. Der Streicherklang prägt das Orchester – die Bläsersolisten sind die Sahnehäubchen.

Der ganz spezielle Klang macht ein Orchester zu dem, was es ist – Klangarbeit und Klangsinn, die Vorstellung des Dirigenten sind eine der wichtigsten Voraussetzungen und Ziele aller führenden Orchester! Im heutigen Blasorchester kann beides verschmelzen – und dies sehr gut gemacht, wird niemand mehr sagen können: »Was ist schlimmer als eine Es-Klarinette?«

Rudolf Heidler

Erschienen in Clarino 4/2002

Tiefe Klarinetten

Anmerkungen zum Einsatz im Blasorchester und zur Spielpraxis

Schon der französische Komponist Hector Berlioz schreibt in seiner Instrumentationslehre über die Bassklarinette: »...kann dieses Instrument in der Tiefe den wilden Klang der gewöhnlichen tiefen Klarinettentöne oder den ruhigen, feierlichen und priesterlichen Ton gewisser Orgelregister annehmen. Es ermöglicht also eine häufige und schöne Verwendung; überdies gibt es, wenn man vier oder fünf seiner Gattung im Einklang benutzt, den Bässen des Blasinstrumentenorchesters eine vortreffliche, salbungsvolle Klangfülle.«

Diese Einsicht wäre manchem heutigen Orchesterleiter zu wünschen. Oft wird selbst in gut besetzten Orchestern die Basslage nur vom Blech bestritten. Dabei dürfte doch klar sein, dass man bei einer Unterscheidung zwischen verschiedenen Registern in der hohen Lage (Holz, enges und weites Blech) dieses eben auch in der Basslage tun muss. In vielen Blasorchestern fehlt aber das tiefe Holz völlig.

Mir ist natürlich klar, dass dieser Missstand nicht immer am Unwillen (oder Unwissen) der Dirigenten scheitert, sondern am Mangel entsprechender Instrumentalisten bzw. Instrumente.

Fagottisten sind zugegebenermaßen im Amateurbereich Mangelware und somit für Blasorchester schwer zu gewinnen. Aber neben dem Fagott kommen auch noch andere Instrumente für das tiefe Holzregister infrage.

Ein Baritonsaxofon dürfte in den meisten Fällen das erste tiefe Holzblasinstrument sein. Gerade Orchester, die viel jazzartiges Repertoire spielen, brauchen dieses Instrument. In den vergangenen Jahren setzten sich aber erfreulicherweise auch die tiefen Klarinetten immer mehr durch. Ich möchte mit diesem Artikel dafür plädieren, diese vernachlässigte Instrumentengruppe verstärkt einzusetzen. Jedes Blasorchester sollte zumindest über ein Baritonsaxofon und eine Bassklarinette verfügen. Wie Berlioz vier oder fünf Bassklarinetten zu fordern, wage ich gar nicht erst.

Umstieg von kleineren Instrumenten

Sowohl Baritonsaxofon als auch Bassklarinette haben den großen Vorteil, dass auf ihnen ein bereits mit den kleineren Klarinetten oder Saxofonen Vertrauter sofort spielen kann und zumindest keine Griffe neu gelernt werden müssen.

Wenn ein Blasorchester eine Bassklarinette anschaffen will, dann stellt sich oft die Frage, wer das Instrument bekommen soll. Auf jeden Fall sollte es eine/r der Besten sein. Die weit verbreitete Ansicht, ein schlechter Trompeter könne immer noch ein guter Tubist werden, trifft nun für Klarinetten ganz sicher nicht zu, denn die Stimme für eine Bassklarinette stellt, wenn es sich um gute Literatur handelt, enorme technische Anforderungen. Klarinettisten im Blasorchester, die sich nicht ganz gefordert fühlen, sei empfohlen, sich um eine Bassklarinette zu bemühen. Mir macht es jedenfalls erheblich mehr Spaß, meine eigene Bassklarinettenstimme zu haben und diese zu gestalten, als im Klarinettentutti zu sitzen.

Mundstückwahl

Der wichtigste Unterschied beim Umstellen von »kleiner« auf die Bassklarinette ergibt sich aus den unterschiedlichen Blasarten. Kein Klarinettist, der auf der B-Klarinette zuvor eine »enge« Bahn geblasen hat, wird auf der Bassklarinette zurechtkommen. Bassklarinette kann man nur mit offenem Mundstück blasen. Da die meisten nebenher auf der B-Klarinette weiterblasen werden, ist der Versuch sicherlich sinnvoll, das Mundstückmaterial entsprechend anzunähern.

Ich blase beispielsweise auf der B-Klarinette ein verändertes M 4 und auf der Bassklarinette ein Mundstück, das noch offener als M 5 ist. Diese Werte können nur ein grober Anhalt sein. Jeder muss natürlich selbst ausprobieren, welches Material er braucht. Aber offen muss es sein, sonst klingt die Bassklarinette im besten Fall wie ein Saxofon.

Ansatz

Probleme beim Ansatz »wegzudrücken« mag bei kleinen Klarinetten hin und wieder funktionieren – bei tiefen Klarinetten geht das nicht. Wer sich, sei es aus Angst oder bei hohen oder anderen Problemtönen, auch nur ein bisschen verkrampft, wird sofort mit einem lauten Quietschen bestraft. Aus meiner Erfahrung, auch auf der B-Klarinette, kann ich nur empfehlen, den Unterkiefer nach unten zu ziehen und höchstens mit der Lippenspannung (nach außen ziehen) zu arbeiten.

Wer jetzt noch versteht, dass Klarinette geblasen und nicht gegriffen wird, hat eigentlich schon gewonnen. Denn die meisten Probleme – auch diejenigen, die als »technische Schwierigkeiten« bezeichnet werden – rühren von der Tatsache her, dass nicht geblasen wird. Vor einem technisch schwierigen Lauf verkrampft sich alles. Der Hals (genaugenommen: die Stimmlippen) wird zugemacht und der Lauf kann natürlich nicht gelingen.

Bei den Griffen gibt es ein paar Sonderregeln. Bei den meisten tiefen Klarinetteninstrumenten sind die Gabelgriffe schlicht unbrauchbar. Man sollte beim Kauf also darauf achten, dass das Instrument einen linken F-Heber hat, denn dieser kann sehr hilfreich sein. Den Gabelgriff für das notierte f^2 sollte man überhaupt nicht benutzen. Die Töne in dieser Lage sprechen sowieso sehr

*Kontrabassklarinettist des Landesjugend-
blasorchesters Rheinland-Pfalz 1996*

schlecht an, und wer drückt, bekommt sie gar nicht. Über dem c^3 sprechen die Töne sehr gut an. Hier gibt es auch ein paar Spezialgriffe, die ich aber für nicht so wichtig halte. In dieser hohen Lage muss man die Töne sehr genau im Ohr haben und mit dem Ansatz (siehe oben) regeln. Im Zweifelsfall kommt eher der Ton, dessen Ansatz man hat, als der gegriffene.

Schwierig sind tiefe Klarinetten, die längere Zeit nicht gespielt wurden. Nach solchen Phasen muss man erst einmal die Mechanik in Gang setzen. Besonders die Überblasmechanik und die Daumenklappen klemmen ziemlich oft. Falls nach der Regelung dieser Mechanik einzelne Töne immer noch nicht ansprechen, empfehle ich, dies durchzustehen, da nach zwei oder drei Tagen die Polster wieder weicher werden und auch die Mechanik sich wieder einspielt. Oft erledigen sich die Probleme damit von selbst. Ich warne davor, zuviel an den Stellschrauben herumzudrehen oder gar Klappen zu verbiegen.

Altklarinette

Einen Sonderfall stellt die Altklarinette dar. Es wäre sicher auch schön, wenn man neben einer oder mehrerer Bassklarinette/n auch dieses Instrument besetzen könnte. Dabei gibt es aber ein paar Probleme: Das größte liegt bei den Instrumenten selbst, denn viele sind technisch nicht ausgereift und stimmen schlecht. Andererseits spricht die Altklarinette in allen Lagen sehr gut an und lässt sich sehr gut mit dem Ansatz regeln. Ein Klarinettist, der in der Lage ist, die Töne vorweg zu hören, kann also sehr viel ausgleichen. Bei wichtigen Solopassagen kann man sich auch eines Bassetthorns bedienen. Hier gibt es qualitativ weitaus bessere Instrumente.

Das eben Gesagte gilt eigentlich für alle tiefen Klarinetten. Selbst bei schlechten Instrumenten kann ein guter Klarinettist die mangelhafte Intonation immer ausgleichen. Trotzdem hilft es natürlich, ein gutes Instrument zu haben.

Kammermusik

Wer sich mehr mit tiefen Klarinetten beschäftigt, wird sicher bald über das im Blasorchester

Geforderte hinaus wollen. Zum einen schadet es nicht, die gewohnte Klarinettenliteratur auch auf tiefen Klarinetten zu blasen, und zum anderen kann man von Bärmanns Tonleiterstudien nie genug bekommen. Außerdem kann man auch bei anderen Instrumenten »wildern«. So kann man beispielsweise Fagottetüden und -konzerte probieren oder Violoncello-Sonaten. Ich benutze gerne J. S. Bachs Violoncello-Suiten BWV 1007 bis 1012. Es lohnt auch auf jeden Fall, sich drei weitere Klarinettisten zu suchen und ein Klarinettenquartett zu gründen. Für diese Besetzung gibt es sehr viel Literatur in allen Schwierigkeitsstufen. Solo-Literatur ist leider recht selten.

Zur Spielweise im Blasorchester bleibt mir zu sagen, dass präziser Rhythmus für den Bassklarinettisten enorm wichtig ist. Man kann mit diesem Instrument sehr viel Eindruck machen, wenn man nicht nur ganz exakt spielt, sondern an bestimmten Stellen, beispielsweise Punktierungen, den kurzen Notenwert etwas später bringt. Dazu gehört natürlich sehr viel Erfahrung, zumal alles natürlich auch im Zusammenspiel passen muss. Weitere Freiheiten nehme ich mir manchmal, indem ich bestimmte Passagen oktaviere. Selbstverständlich ist auch dies mit Rücksicht auf die Mitspieler zu tun. Auch von der im Notentext vorgegebenen Lautstärke kann unter Umständen abgewichen werden. Alles in allem hat man als Bassklarinettist sehr viele Freiheiten, wenn man weiß, wann und wo man sich diese nehmen kann.

Eine Empfehlung möchte ich zum Schluss noch aussprechen: Leider werden die Bassklarinettisten in den Blasorchestern oft ziemlich alleine gelassen mit ihrem Instrument. Die Folge sind oft abenteuerliche Zustände. Es ist überhaupt nichts dagegen einzuwenden, wenn aus Kostengründen eine Böhm-Bassklarinette angeschafft

wird, aber man sollte dem entsprechenden Instrumentalisten doch dann auch die Möglichkeit geben, die richtigen Griffe zu lernen! Auch die immer wieder zu beobachtende Verwendung von Saxofonblättern ist die Folge davon, dass nicht die nötige Sorgfalt gebraucht wird. Ich empfehle, sich mit mehreren Vereinen (auf Verbandsebene?) zusammenzutun und Seminare abzuhalten. *Thomas Boll*

Erschienen in Clarino 12/1996

Die Bassklarinette in der Blasmusik

Geschichte und Verwendung

Um 1800 entstand aus mittelalterlichen und neuzeitlichen Musizierformen der Jagd- und Postmusik, der ländlichen Volksmusik sowie der höfischen, städtischen und militärischen Bläsermusik das heutige zivile und militärische Blasmusikwesen. Eine der wesentlichen Voraussetzungen für diese Entwicklung war die technische Vervollkommnung der Blasinstrumente, unter anderem durch die Entstehung der Klarinettenfamilie im 18. Jahrhundert und die nachfolgende Erfindung der Drehventile für die Blechblasinstrumente. Damit war die instrumentaltechnische Grundlage für ein orchestermäßiges Musizieren auch als Blasmusik oder Blasorchester, im Gegensatz zur Ensembleform der Bläsermusik, gegeben. Mit Ausnahme der Brassbands, Fanfarenorchester und Spielmannszüge verfügen alle übrigen Blasmusikformationen über ein Klarinettenregister, hauptsächlich in B.

Die »Erfindung« der modernen Klarinette mit dem Chalumeau als Vorläufer geht auf den Nürnberger Instrumentenbauer Johann Christoph Denner (1655 bis 1707) zurück. Die Klarinette fand aufgrund ihres großen Tonumfangs und ihrer voluminösen Klangfülle sehr rasch auch Eingang in die europäische Orchestermusik und verdrängte auch bald die Oboe von ihrer Position als führendem Holzblasinstrument in der Militärmusik. Die Klarinette entstand zunächst als Sopraninstrument, wurde aber bald zu tiefer klingenden Sonderformen entwickelt, so zur Altklarinette in Es sowie zur Bassettklarinette bzw. dem Bassetthorn in F. Letzteres spielte für die Kammer- und Orchestermusik des 18. Jahrhunderts, vor allem in Mozarts Requiem, eine wichtige Rolle.

Harmonie- und Militärmusik

Die Bassklarinette wurde 1793 vom deutschen Instrumentenbauer Heinrich Grenser zunächst in Fagottforrn gebaut, die nachfolgend Vorbild für eine Reihe ähnlicher Konstruktionen in Holz und Metall wurde. Bei der Konstruktion der ersten Bassklarinetten wurde vermutlich nicht so sehr an deren Verwendung in der Blasmusik gedacht, sondern an den Einsatz dieses neuen Instruments als bassverstärkende oder alterierende Stimme in den Harmoniemusiken. Dennoch sollte dieser Klarinettenbass sehr bald die relativ tonschwachen Fagotte in den militärischen und zivilen Blasorchestern als Harmoniebass ablösen.

Die Aufgaben der Bassklarinette im Sinfonieorchester begannen mit Giacomo Meyerbeers Oper »Les Huguenots« (1836) und nachfolgend mit den vielen Solostellen in Richard Wagners Opernwerken, namentlich im dritten Akt von »Tannhäuser«. Der erste Einsatz der Bassklarinette als Bassstimme in der Harmoniemusik erfolgte um 1832/33 in F. Zermats Bearbeitung von Mendelssohns »Ouvertüre zu Ruy Blas«.

Im Bereich der Militärmusik wurde die Bassklarinette zunächst in Frankreich und Österreich eingesetzt. So war die 1867 von Österreich zur Weltausstellung in Paris entsandte Militärmusik des »K.K. Herzog von Württemberg Infanterie-Regiments No. 73« unter der Leitung von Militärkapellmeister Michael Zimmermann neben zwei As-, vier Es- und zwölf B-Klarinetten auch mit zwei Clariofonen bzw. Klaryphonen oder Bassklarinetten besetzt. Hingegen ist bei keinem deutschen Militärorchester im 19. Jahrhundert die Bassklarinette nachgewiesen. Erst bei der Erweiterung der deutschen Luftwaffenblasorchester 1938/39 wurde die Bassklarinette parallel mit der Altklarinette besetzt.

Ähnlich selten besetzt war die Kontrabassklarinette (Bathyphon), um 1810 als »basseguerriere« oder Kriegsbass in F gebaut, mit einer Oktave tiefer als die Bassklarinette das tiefste Instrument der Klarinettenfamilie. Es wurde selten im sinfonischen Orchester eingesetzt. Heutzutage ist dieses Instrument nicht selten in amerikanischen Klarinettenchören und sinfonischen Blasorchestern nordamerikanischer Colleges und High-Schools zu finden.

Einsatz im modernen Blasorchester

Die Bassklarinette in B (vorübergehend auch in A oder C) wird im deutschen System und im Böhm-System gebaut. Sie klingt eine Oktave tiefer als die B-Klarinette und wird im Violinschlüssel notiert. Die Bassklarinette hat einen dunklen, verhaltenen Klang und einen enormen Tonumfang (von notiert c bis a^3 bzw. klingend von B bis g^2). Der nach dem Zweiten Weltkrieg auch in der Blasmusik einsetzende Trend zu klanglicher Nivellierung und international gültiger Standardbesetzung (»Europa-Besetzung«) brachte einen grundlegenden Wandel der Besetzung, auch im Holzregister. Neben der Einführung des Saxofonsatzes wurde und wird vor allem die in Österreich als Melodieträger des Holzregisters betraute Es-Klarinette von der Querflöte ersetzt. Gleichzeitig erfahren zunehmend gut besetzte und leistungsstarke Blasorchester eine Erweiterung des Klarinettensatzes in der Tenorlage durch die Einbeziehung von Alt- und Bassklarinette, welche in den sinfonischen Blasorchestern der USA und Westeuropas schon seit langem das tiefe Klangvolumen bereichern.

Damit und neben anderen Änderungen bzw. Erweiterungen der übrigen Register soll vor allem die Aufführung konzertanter und sinfonischer Blasmusik ermöglicht werden. Die Bassklarinette bildet somit eine wesentliche Bereicherung des Holzsatzes, wie am Beispiel zahlreicher zeitgenössischer Blasorchesterkompositionen festgestellt werden kann (stellvertretend für viele seien hier angeführt »Rossini's Birthday Party« von H. v. Lijnschooten, »Schloß Tirol« von G. Veit, »Blue Lake« von J. B. Chance, Ouvertüre zu »Candide« von L. Bernstein, »Bacchus on blue Ridge« von J. Horovitz und andere). Im Gegensatz zu den mehr als 500 Kompositionen für Bassklarinette und Klavier bzw. im Klarinettenensemble ist solistische Literatur für Bassklarinette und Blasorchester noch im Entstehen. Ein derartiges Werk, »Concerto for bassclarinet and band«, stammt von Kees Vlak, erschienen im Musikverlag Molenaar (siehe Notenbeispiel). *Manfred König*

Konzert für Bassklarinette und Blasorchester von Kees Vlak (Anfang der Solostimme)

Erschienen in Clarino 3/1993

Die Bedeutung des Klarinettenchores im (sinfonischen) Blasorchester

Von hohen und tiefen Klarinetten

Der folgende Beitrag beschäftigt sich nicht nur mit aktuellen Problemen, sondern geht auch auf die Rolle des Klarinettenregisters in der »Frühzeit« des Blasorchesters ein. Obgleich das sinfonische Blasorchester als fest etablierte Orchestergattung vielerorts noch lange nicht denselben Status wie das Sinfonieorchester innehat, weisen beide Orchester doch an vielen Stellen dieselben orchestralen Charakteristika auf.

Betrachtet man die Entwicklung des Sinfonieorchesters, so gab es zunächst eine relativ kleine Streichergruppe mit Generalbass, wozu vereinzelt, je nach Intention des Komponisten oder gemäß der örtlichen Gegebenheiten, Bläser hinzugefügt wurden. Im weiteren Verlauf der Musikgeschichte verschwand das Generalbassprinzip und die Streichergruppe wurde wie ein vierstimmiger Satz behandelt, dem wiederum Bläser (»Harmoniestimmen«) klangliche Akzente entgegensetzten (Notenbeispiel 1).

Der sich stets wandelnde musikalische Zeitgeist und der unermüdliche Experimentierdrang der Komponisten mit ihren wachsenden Ansprüchen an die Klangfarbe ließ das Sinfonieorchester gerade im Bereich der Bläser weiter expandieren. Es entstand jener riesige »Orchesterapparat«, der seit der Spätromantik zur Arbeitsgrundlage vieler berühmter Komponisten geworden war (Notenbeispiel 2).

Resultierend aus den sogenannten »Harmoniemusiken« entwickelten sich im deutschen Sprachraum allmählich kleine Bläserorchester. Während die militärischen Orchester recht schnell ebenso stark expandierten wie die Sinfonieorchesterbesetzungen, blieb die Besetzung der kleinen Laienblaskapellen eher bescheiden und oft sogar solistisch. Der Grund für die Er-

Notenbeispiel 1:
Erste Partiturseite der Sinfonie Nr. 102 von Joseph Haydn

Notenbeispiel 2:
Bläserbesetzung in
der Ouvertüre »1812«
von Tschaikowsky

weiterung der Militärkapellen lag vor allem im Repertoire: Da es in allen europäischen Ländern zumeist aus Transkriptionen von Werken für Sinfonieorchester bestand, war es notwendig, die Blasorchesterbesetzung dem großen Sinfonieorchester anzupassen.

Fast selbstverständlich bot sich nun die Klarinette an, aufgrund ihrer technischen Gewandtheit, ihres großen Tonumfangs und ihrer klanglichen Variabilität, die schwierige Funktion der »Violinstimmen« zu übernehmen. Während meiner Militärmusikzeit machte ich in diesem Zusammenhang eine interessante Erfahrung. Die Militärmusiker mussten früher nicht nur ein Blas- und Streichinstrument spielen, sondern es muss darüber hinaus auch eine »Personalunion« von Violinist und Klarinettist an der Tagesordnung gewesen sein. Nun wäre es eine banale Geschichte, dies als Grund für die Transkriptionspraxis der Zeit zu bezeichnen; es ist aber sicherlich ein Faktum, das nicht unbedingt außer Acht zu lassen ist.

Hohe Klarinetten

Die übliche Klarinette in B übernahm also die Geigenstimmen (Violine I und II) sowie aufgrund ihrer gut ausgebauten Tiefe oft auch Teile der Viola-Stimme. Doch nicht nur die B-Klarinette, sondern die gesamte Klarinettenfamilie fand Verwendung: von der kleinsten Klarinette in As bis hinunter zur Kontrabassklarinette in B oder Es. Die Hinzunahme der kleinen Klarinetten erfolgte analog zu den Geigenstimmen. Diese wurden oft virtuos in sehr hohe Tonbereiche geführt, sodass die normale B-Klarinette hier unweigerlich an ihre Grenzen stieß. Die As-Klarinette ist heute in italienischen Blasorchestern noch häufig besetzt und stellt bei sinnvollem Einsatz eine interessante Klangbereicherung dar. Die Es-Klarinette hat sich in Deutschland als festes Ensemblemitglied etabliert, nachdem viele Komponisten deren eigentliche Funktion als oberstes Instrument einer »Klarinettenfamilie« erkannt haben und sie oft nicht mehr als »Flötenersatz« oder Verdoppelung der Flöten- und Pikkolostimmen betrachten.

Während die B-Klarinetten im Prinzip chorisch in 1., 2. und 3. Klarinette aufgeteilt waren, wurden die anderen Klarinetten eher paarweise oder gar solistisch besetzt. Die höheren Klarinetten waren zumeist als Einzelstimmen notiert, die anderen Klarinettenstimmen wiesen oft auch »divisi«-Anweisungen (geteiltes Spiel) auf. Die Bassklarinette/n übernahm/en die Funktion der Violoncelli und Kontrabässe. Gegenüber vielen anderen Blasinstrumenten in Basslage besitzt die Bassklarinette den Vorteil, dass sie sonore Tiefe wunderbar mit technischer Wendigkeit zu kombinieren vermag. Den sogenannten Viola-Part übernahm die Altklarinette. In Verbindung mit der 3. B-Klarinette war sie das Verbindungsglied zur Bassstimme. Diese Aufgliederung stellt eine der Analogien von Klarinettenchor und Streichergruppe dar.

Man kann aber davon ausgehen, dass die Klarinette in ihrer Funktion als »Militärgeige« doch eher schonungslos eingesetzt wurde. Sowohl in Bezug auf ihren günstigen Tonumfang und ihre klanglichen Schönheiten wurde sie eher einem »Raubbau« unterzogen. Technisch sehr schwierige Violinstimmen wurden häufig aus »Transkriptionsprinzip« in Klarinettenstimmen umfunktioniert, obgleich die Lage und der technische Gehalt es zuließen, dass eben diese Passagen weitaus besser von Flöten zu bewältigen waren. Man erinnere sich an unzählige Ouvertüren-Transkriptionen, die oft an die Grenze zur Unspielbarkeit gelang(t)en, nur aufgrund unglücklicher Instrumentierung. Es ist nicht von der Hand zu weisen, dass auf diesem Gebiet »die« Blasmusik schon des Öfteren böse und zum Teil sogar berechtigte Kritik einstecken musste. Die Interpretation solcher Werke ist zumeist erst ab einer bestimmten Orchestergröße und ab einem bestimmten Orchesterniveau so zu bewerkstelligen, dass die Blasorchestertranskription gegenüber der Originalfassung sicher bestehen kann.

Nicht mehr »Streicher-Ersatz«

Klarinettisten haben anfangs ihre Rolle als »Streicher-Ersatz« wohl als ein Muss empfunden. Glücklicherweise hat sich die Bedeutung des Klarinettenchores aber in jüngster Zeit gewandelt. Maßgeblich beteiligt an dieser Entwicklung waren einige Nachbarländer Deutschlands, aber auch die USA. Das Blasorchester war dort schon früher als eigenständige Orchesterform anerkannt, sodass auch bereits zahlreiche Originalkompositionen entstanden. Nicht zu verachten ist hierbei die Tatsache, dass deutsche Komponisten erst im Ausland den Klang des Blasorchesters schätzen lernten, nachdem sie in Deutschland mit ihren Blasorchesterwerken zunächst gescheitert waren (zum Beispiel Paul Hindemith).

In den Originalkompositionen für Blasorchester wurden die einzelnen Instrumentengruppen nicht von vornherein in irgendwelche Orchesterrollen gedrängt, sondern die Komponisten lernten die Möglichkeiten der diversen Blas- und Percussioninstrumente kennen und nutzen. Sie konnten aufgrund ihrer Erfahrungswerte neue Klangkombinationen schaffen.

Interessant ist hierbei nun, dass der Klarinettenchor für viele Komponisten eine Art Keimzelle darstellte, die durch ihren profunden und homogenen warmen Klang sowohl eine Basis für ein eigenständiges Konzertieren bot (Notenbeispiel

INTRODUCTION AND RONDO
for Clarinet Choir

GORDON JACOB

Notenbeispiel 3: Komposition für Klarinettenchor von Gordon Jacob (Anfang)

3), als auch in Kombination mit anderen Instrumentengruppen Begleitfunktion übernahm oder als »Klangteppich« eingesetzt werden konnte.

So wie im Sinfonieorchester die Streichergruppe den größten Anteil ausmacht, so stellt der Klarinettenchor in einem optimal besetzten Blasorchester ebenfalls die größte einheitliche Gruppe dar. Es gibt hier jedoch unterschiedliche Richtlinien und Wunschvorstellungen (Notenbeispiel 4).

Mancher Dirigent wünscht sich einen Klarinettenchor von ca. 30 Spielern inklusive Es-, Alt- und Bassklarinette. Andere Blasorchester weisen Klarinettengruppen von 40 und mehr Spielern auf. Ein Klarinettenchor sollte in vielerlei Hinsicht Fundament eines (sinfonischen) Blasorchesters sein. Hauptkriterium und in vielen Orchestern leider auch die größte Schwierigkeit ist die Intonation. Analog zu einer Streichergruppe stellt ein ausgeglichen und sauber intonierender Klarinettenchor eine Stütze für das

Notenbeispiel 4: Besetzungsmöglichkeiten eines Klarinettenchores (aus: »Handbuch der Blasmusik«, Schott-Verlag)

gesamte Orchester dar. Sämtliche anderen Orchestergruppen können sich intonatorisch am Klarinettenchor orientieren. Es sollte daher Ziel eines jeden Dirigenten sein, zunächst innerhalb der zahlenmäßig größten Gruppe (im Idealfall die Klarinetten) eine ausgewogene Intonation zu schaffen. Hiervon ausgehend kann sich jede andere Orchestergruppe frei und sicher einordnen. Dies bedeutet auf keinen Fall, dass die Klarinettengruppe immer absolut sicher intoniert. Da sich aber diese große Gruppe mit ihren vielen gleichbeschaffenen Instrumenten in der Intonationsänderung ungefähr identisch zeigt, bietet sie immer wieder Anhaltspunkte für Register, in denen sich Intonationsprobleme anders zeigen als in der Klarinettengruppe.

Nicht zu viele hohe Stimmen

Was die Besetzung des Klarinettenchores selbst anbelangt, so sollte tunlichst darauf geachtet werden, dass die hohen Klarinettenstimmen nicht unbedingt in der Überzahl sind. Je profunder und solider Basis und Mittellage des Klarinettenchores sind, desto homogener und wärmer ist der Gesamtklang und desto leichter lässt sich eine stabile Intonation und Ausgeglichenheit erhalten. Zu viele »hohe« Klarinettenstimmen wirken sich unter Umständen negativ auf die Gesamtintonation aus, da die Klarinette in

ihren hohen Lagen doch viele Intonationsmängel aufweist (bedingt durch ihre Bauweise) und bei zu vielen Klarinettenstimmen in extrem hoher Lage der sogenannte »Schneeballeffekt« eintreten kann und die Intonationsschwankungen irreparable Ausmaße annehmen können. Dies führt zu einem unausgeglichenen Fundament und beeinträchtigt mitunter den gesamten Orchesterklang.

Eine sehr wichtige Rolle innerhalb des Klarinettenchores nehmen die Altklarinette in Es und die Bassklarinette ein. Sie geben dem Register sonore Tiefe und profunde Klangkraft, ohne dabei dumpf oder fahl zu klingen. Dies sollte vermieden werden, außer wenn dieser spezielle Klarinettenklang kompositorisch gefordert ist. Luxuriös, doch äußerst apart im Klarinettenchorklang, ist der Einsatz einer Kontrabassklarinette, die den Bass des vierstimmigen Satzes nach unten oktaviert und abrundet.

Wie schon zuvor bemerkt, ist das Ausnutzen der sonoren Tiefe und der kräftigen, sehr tragfähigen Mittellage ein entscheidendes Kriterium für die Klangbalance innerhalb des Klarinettenchores. Ein gut ausbalancierter Chor besitzt die unterschiedlichsten Klangmöglichkeiten vom feinsten, geheimnisvollen *pianissimo* bis hin zur Strahlkraft großer Blechbläsergruppen.

Notenbeispiel 5: »Sinfonietta« von Ingolf Dahl (Beginn des zweiten Satzes)

Da die Klarinette als einzelnes Instrument unzählige Klangmöglichkeiten bietet, ist natürlich der Klarinettenchor selbst voller innerer Flexibilität und Klangschattierungen. Selbst auf den ersten Blick langweilig erscheinende Unisono-Passagen aller B-Klarinetten erhalten feinste Klangnuancen durch die Kopplung mit einer Altklarinette in gleicher Lage (Notenbeispiel 5). Sollte gar zu einer Unisono-Passage aller B-Klarinetten in tiefer Lage eine Es-Klarinette in ihrer tiefsten Lage hinzukommen, erhält der gesamte Unisono-Klang eine gewisse Aufhellung.

Es bieten sich noch unzählige weitere Klangmöglichkeiten innerhalb eines Klarinettenchores an, ihn sowohl als eigenständigen Klangkörper darzustellen als auch als Basisgruppe in einem sinfonischen Blasorchester. In seiner Eigenschaft als Klarinettenchor innerhalb des Orchesters bietet er noch viele andere Möglichkeiten, zum Beispiel als Grundklangfarbe (Notenbeispiel 6).

Eine weitere interessante Begleiterscheinung des großen Klarinettenchores ist die Position des Konzertmeisters bzw. Soloklarinettisten. Wie im Sinfonieorchester die Streichergruppe der Führung des Konzertmeisters anvertraut ist, muss sich der Soloklarinettist im Blasorchester für die Klarinettengruppe und deren Führung verantwortlich fühlen. Der Bogenführung bei den Streichern entspricht im Klarinettenchor in besonderer Weise das einheitliche, gruppendienliche und präzise Zusammenspiel. Der Klarinettist im Blasorchester muss – ebenso wie der Streicher im Sinfonieorchester – in seiner Position als »Tuttispieler« in besonderer Weise die Fähigkeit zur Unterordnung in einen der Gesamtheit dienenden Klang besitzen. Andererseits muss jedoch jeder einzelne Klarinettist sich der Tatsache bewusst sein, dass er mit seinem individuellen Klangspektrum ein wichtiges und eigenverantwortliches Glied innerhalb des Klarinettenchores und somit im gesamten Orchester bildet.

Thomas Krause

Erschienen in Clarino 12/1993

Notenbeispiel 6: Beginn der »Hobbits-Hymne« aus dem fünften Satz von »Lord of the Rings« von Johan de Meij (Verlag: Amstel Music)

Sabine Meyer

Eindrücke von und Aussagen der Klarinettistin

Es ist ein sonniger Sonntag. Viele Fahrradfahrer und Spaziergänger sind um Schloss Schleißheim nahe München unterwegs. Vor allem der Biergarten unter den schattigen Kastanien ist gut besucht – und bietet einen idyllischen Blick auf das Neue Schloss. Dieser barocke Komplex mit Neuem und Altem Schloss, Schloss Lustheim und dem Schlosspark bietet ein optimales Ambiente für das Konzert, das am frühen Abend hier stattfinden wird. Im Barocksaal wird Sabine Meyer auftreten – die Frau, die man »Königin der Klarinette« nennt.

Die zwei Tage zuvor war Sabine Meyer in Würzburg. Dort war sie den einen Abend mit dem Trio di Clarone aufgetreten. Das Trio di Clarone ist ein Familienunternehmen. Sabine Meyer spielt dort mit ihrem Ehemann Reiner Wehle, der wie sie selbst als Professor an der Musikhochschule in Lübeck unterrichtet, und ihrem Bruder Wolfgang Meyer, der eine Professur in Karlsruhe innehat. Den anderen Abend in Würzburg war sie mit dem Programm aufgetreten, das sie auch an diesem Tag in Schleißheim spielen wird – das Quintett für Klarinette und Streichquartett, KV 581, von Wolfgang Amadeus Mozart, genannt das »Stadler-Quintett«. Vor dem Konzert sitzt Sabine Meyer ganz entspannt mit ihrem Ehemann im Café gegenüber dem Schloss und gibt ein Interview.

clarino.print: Sie haben so viele verschiedene Aufgaben und Tätigkeitsfelder, wie bringen Sie das alles unter einen Hut?

Sabine Meyer: Die Familie hat obersten Stellenwert. Ich finde es auch sehr wichtig, meine Studenten regelmäßig zu unterrichten. Und selbst spielen will ich auch. Das alles unter einen Hut zu bekommen ist nicht einfach. Da muss man den Terminkalender klug führen. Und das macht mein Mann – der Neinsager. *(Sie sieht ihn lachend an.)* Aber das ist auch wichtig. Ich will, dass alles gut funktioniert und dass nichts zu kurz kommt.

Haben Sie in Ihrem Leben überhaupt so etwas wie einen Alltag?

Sabine Meyer: Einen Alltag im üblichen Sinne gibt es bei uns nicht. Aber es gibt eine Normalität. Wir versuchen natürlich einen familiären Tagesablauf zu gestalten – soweit das möglich ist. Wenn ich nicht reise, bin ich inzwischen sogar mehr zu Hause als unsere Kinder…

Reiner Wehle: Es wird oft geglaubt, Sabine sei 80 Prozent der Zeit nicht zu Hause, obwohl es eigentlich eher das Gegenteil ist. Sie ist mehr zu Hause, als man denkt. Wenn jetzt einer von uns oder wir beide einen Beruf mit »normalen« Arbeitszeiten hätten, würden wir uns mit Sicherheit viel weniger sehen als jetzt. Natürlich ist sie mal fünf Tage weg, aber die Tätigkeiten an der Hochschule kann man so organisieren, dass einem Zeit für die Familie bleibt. Inzwischen ist es schon so, dass wir mittags zu Hause sind, aber die Kinder nicht mehr. *(Dabei schmunzelt er.)*

Wenn Sie von Berufs wegen tagtäglich mit Musik zu tun haben, hören Sie dann zu Hause noch gern Musik?

Sabine Meyer: Ja, aber nicht unbedingt die eigenen CDs. Unser Sohn hört gerne Jazz, das läuft öfter, oder wir hören auch ab und zu eine Rockband an.

Ist Musik für Sie Arbeit?

Sabine Meyer: Nein. Ich habe Ziele und weiß, was ich dafür tun muss – Repertoire auffrischen oder erarbeiten. Dann ist das in einem gewissen Sinn schon Arbeit, aber eben keine Mühsal.

Als Klarinettistin dieser Liga wird Ihnen immer auf die Finger gesehen. Wie gehen Sie mit diesem Druck um?

Sabine Meyer: Es gibt einfach Erwartungen von den Leuten…

Reiner Wehle: Sie würde das natürlich nicht immer so sagen, dass es Druck ist. Aber die Anforderungen des Publikums an sie werden ja nicht kleiner, sondern größer. Und das ist ein Druck, der zwar nicht permanent formuliert wird, der aber immer da ist.

Sabine Meyer: Und es sind nicht nur die Erwartungen des Publikums, es ist auch der Anspruch an mich selbst, den ich habe und dem ich gerecht werden möchte.

Reiner Wehle: Wie viel sie arbeitet, sieht man an ihren neuesten CDs. Im April ist die erste CD einer Trias erschienen: »Die Pariser Klarinette: Sabine Meyer mit einem französischen Programm«. Anfang Juli kam die zweite CD auf den Markt, auf der sie gemeinsam mit Julian Bliss, ihrem Schüler, in Konzerten von Krommer und

Spohr zu hören ist. Der Abschluss folgte im Herbst, Veröffentlichung am 14. September, mit dem Klarinettenkonzert von Nielsen und mit dessen Flötenkonzert, eingespielt von Emmanuel Pahud – begleitet von den Berliner Philharmonikern unter Sir Simon Rattle.

Wie kam es zur Zusammenstellung dieser drei CDs?

Sabine Meyer: Primär sollten es abwechslungsreiche Programme sein.

Reiner Wehle: Man setzt sich im Vorfeld mit EMI zusammen und bespricht und diskutiert verschiedene Vorschläge. Der Nielsen war ein Vorschlag von EMI: Nielsen hat nur diese beiden Bläserkonzerte geschrieben. Und da lag der Gedanke nahe, diese beiden Konzerte mit Sabine und Emmanuel Pahud, der auch einen Vertrag bei EMI hat, aufzunehmen. Die Idee mit Julian Bliss kam eher von uns – und auch er ist ja bei EMI unter Vertrag. Das französische Programm war schon lange Sabines Wunsch.

Sabine Meyer: Dieses Repertoire spielt man oft und eigentlich auch von Anfang an. Es war schön, einen Schnitt durch die französische Musik zu machen und ganz früh bei Devienne zu beginnen. Es ist einfach tolle Bläsermusik, gut geschrieben für das Instrument.

Julian Bliss ist Ihr Schüler bzw. Student. Wie war die berufliche Zusammenarbeit zwischen Ihnen beiden während der Aufnahmen für die CD?

Sabine Meyer: Das hatte nichts mit Schüler – Lehrer zu tun. In dem Moment, in dem man zusammen spielt, ist er ein gleichwertiger Partner. Er ist ein eigenständiger Musiker mit so vielen Ideen und großen Möglichkeiten. In den gemeinsamen Proben hatten wir natürlich Dinge wie Phrasierung, Tempi und Ähnliches abgesprochen, aber das hat von Anfang an alles gut harmoniert.

Immer wieder nascht Sabine Meyer aus dem Eisbecher ihres Mannes. Ein eigenes Eis möchte sie so kurz vor dem Auftritt nicht mehr…

Eröffnet wird der Konzertabend vom norwegischen Vertavo-Quartett. Die vier Damen bestreiten den ersten Programmteil mit dem Mozart'schen Jagd-Quartett und Dvořáks Zypressen. Die Streichinstrumente füllen mit ihrem Klang den voll besetzten Barocksaal in Schloss Schleißheim. Aber eigentlich wartet das Publikum auf den zweiten Teil...

Bereiten Sie sich vor dem Konzert in einer besonderen Art und Weise darauf vor, zu spielen?

Reiner Wehle: Sie zappelt rum. *(Er grinst.)*

Sabine Meyer: (lacht) Ich habe schon so etwas wie ein Ritual, gerade wenn ich unterwegs bin und allein mein Leben im Hotel bestreiten muss. Morgens schau ich mir etwas Schönes in der Stadt an, in der ich gerade bin. Am Nachmittag lege ich mich noch hin und gönne mir dann eine Badewanne. Als Frau muss man sich ja schick machen, das gehört natürlich auch dazu. Dann seh' ich, ob die Blätter funktionieren und schon kann es losgehen.

Wissen Sie jetzt schon, auf welchem Blatt Sie nachher spielen wollen?

Sabine Meyer: Im Prinzip ja. Aber die Blätter gehen einfach jeden Tag anders: das Wetter verändert sich immer, wie der Luftdruck auch. Da muss man spontan damit umgehen können. Aber es ist natürlich immer eine Belastung. Man hat ja auch einen klanglichen Anspruch an sich, und wenn das Material nicht mitspielt, ist das ärgerlich.

Reiner Wehle: Es gibt da zwei Typen von Klarinettisten. Die einen denken relativ, die anderen absolut. Zu den Relativen gehöre ich – ich will von meinen zehn Blättern das beste finden. Die Absoluten denken immer noch an ein Blatt, das sie vor zwei Jahren gespielt hatten und so unglaublich toll war – und die nerven sich dann. *(Er zwinkert seiner Frau zu und lacht dabei.)*

Aber große Katastrophen im Konzertsaal wegen der Blätter gab es noch nicht?

Sabine Meyer: Nein, Katastrophen gab es keine.

Reiner Wehle: Aber eine wahre Geschichte von einer Aufnahme, die ich sehr gerne erzähle – Krommer-Doppelkonzert mit Wolfgang und Rossini-Variationen. Der Krommer ist nicht so heikel für die Blätter, da hatte Sabine nicht ihr bestes Blatt gespielt, sondern eben nur das zweit- oder drittbeste. Dann kam Rossini. Das Orchester war schon da und es ging nahtlos weiter. Sabine hat dann ihr bestes Blatt genommen und den Rossini gespielt. Und das Blatt war bretthart und ging überhaupt nicht. Hinterher hat sie dann festgestellt, dass sie das Blattetui falsch herum gehalten hatte und anstatt auf dem besten auf dem schlechtesten Blatt gespielt hatte. Man hört das auf der CD überhaupt nicht, da klingt es fantastisch. Aber ich weiß natürlich genau, wie sie sich gefühlt hat.

Eine Stunde vor dem Konzert rutscht Sabine Meyer vom Stuhl. Ein Blick auf die Uhr – sie muss jetzt los zur Anspielprobe.

Mit ihrem Auftritt bestätigt Sabine Meyer alles Erwartete: Sie ist nicht die Art von Künstlerin, die ihre Musik einfach nur abliefert. Man hat das Gefühl, sie überreicht ihre Musik an das Publikum wie ein liebevoll ausgewähltes Geschenk. Manchmal ist ihr Ton so leise, dass man ihn nicht mehr hört, sondern nur noch fühlt – und das Publikum hält verzückt den Atem an. Manchmal spielt sie aber so voller Intensität und Kraft, dass man sich wundert, wie diese zierliche Person das bewerk-

stelligt. Und natürlich... sie hat ihr Blattetui auf der Bühne dabei. Da taucht die Frage auf, wie oft Sabine Meyer dieses Quintett schon gespielt haben mag...

Wie ist es für Sie, diverse Stücke wie das Klarinettenquintett wieder und wieder aufzuführen?

Sabine Meyer: Dadurch, dass man ein Stück oft spielt, wächst man daran. Man dringt tiefer ein und bekommt neue Ideen, aus denen man etwas kreieren kann. Das ist ein guter Weg...

Wie finden Sie es dann, Ihre älteren Aufnahmen zu hören?

Reiner Wehle: Wir haben neulich etwas im Radio gehört und uns überlegt, wer das ist. Wir haben gesagt: Spielt ganz gut, aber Sabine ist das nicht. Und dann war sie es doch.

Sabine Meyer: Die Aufnahme war aber schon wirklich lange her. Letzthin hab ich auch ein Stück im Radio gehört, das habe ich kaum wiedererkannt. Die spielen aber echt klasse, hab ich gedacht, wer ist das? Ich habe extra bis zum Schluss gewartet und dann war ich das. Das ist seltsam.

Reiner Wehle: So etwas ist immer ambivalent. Kann sein, dass man eine Aufnahme das eine Jahr gut findet und im Jahr darauf findet man die gleiche Aufnahme schrecklich.

Sabine Meyer: Aber so oft höre ich mich gar nicht an...

Reiner Wehle: Zu Hause nicht, höchstens eben mal im Radio.

Wie wichtig ist Ihnen die theoretische Beschäftigung mit Musik?

Sabine Meyer: Die ist natürlich sehr wichtig. Sogar bei Mozart entdecke ich oft noch etwas Neues in der Partitur. Beim Unterrichten meiner Studenten habe ich auch immer einen Klavierauszug dabei. Der Vorteil bei der Arbeit mit Neuer Musik ist, dass man den Komponisten noch fragen kann.

Sie bekommen bestimmt viele Partituren zugeschickt. Was lehnen Sie ab zu spielen?

Sabine Meyer: Ich würde schon einiges ablehnen, wenn es zu elektronisch wird, wenn man nur noch Geräusche macht. Ich mag es aber auch nicht, wenn ein Stück zu traditionell komponiert ist, das ist heutzutage einfach uninteressant. Es sollten schon neue Ideen dahinter sein. *(lachend)* Sonst könnte ich das ja auch.

Beim Spielen schließt Sabine Meyer die Augen und genießt... genießt den Mozart und das gemeinsame Musizieren mit dem Vertavo-Quartett. Sie übergeben sich gegenseitig die Phrasen und fangen die einander zugespielten Bälle auf. Und immer wieder brilliert die Klarinettistin, besticht mit ihrem einmal weichen, dann dominanten Klang, der sich deutlich gegenüber dem homogenen Streicherklang abhebt.

Nachdem Sabine Meyer zur Anspielprobe losgegangen war, blieb Reiner Wehle noch etwas im Café. Freunde waren gekommen, sie hatten sich schon lange nicht mehr gesehen. Wie schön, dass sich hier wieder einmal die Gelegenheit ergeben hatte. Man plauderte noch etwas über die Kinder, über die Haustiere, über vergangene und geplante Konzerte. Bis Reiner Wehle dann mit einem Blick zur Uhr meinte: »Ich muss jetzt auch los, Sabines Notenpult liegt noch im Auto.«

Anneliese Schürer

Erschienen in clarino.print 7-8/2007

Tipps und Tricks für Klarinettisten

Instrument – Instandhaltung und Pflege – Methodik

Ein gut klingendes, sauber intonierendes und immer einsatzfähiges Instrument ist von größter Wichtigkeit für jeden Klarinettisten. Seit vielen Jahren habe ich immer eine große Schar von Klarinettisten um mich: im Unterricht, in den Ensembles, im Blasorchester. Alle gehen sehr pfleglich mit ihren Instrumenten um. Sorgfältig werden sie ausgewischt und gewartet. Die Blechbläser sind schon auf dem Heimweg, während die Klarinettisten immer noch am Wischen und Putzen sind. Aber es zahlt sich aus: Die Instrumente sind immer einsatzfähig, Risse kennen wir nicht! Gerne gebe ich hier unsere Erfahrungen weiter.

Instrument allgemein

System: deutsch oder Böhm?

Hier sollte sich kein Glaubensstreit entwickeln. Entscheidend ist das Klangerlebnis. Ich habe mich für das deutsche System entschieden. Für das gemeinsame Musizieren ist ein einheitlicher Klang anzustreben, sodass beispielsweise die klangliche Individualität eines Jazz-Klarinettisten im Ensemble oder im Blasorchester nicht geduldet werden kann. Es müssen bestimmte Anforderungen an die Mundstückbahn und das Blatt gestellt werden. Zwischen den Systemen darf man nichts vertauschen: Auf dem deutschen System ist ein Böhm-Mundstück ebensowenig geeignet wie ein Böhm-Blatt auf einer deutschen Bahn.

Anforderungen an das Instrument

Wichtig sind: gute Intonation, gutes Mundstück, leichte Ansprache und präzise, gut eingestellte Mechanik. Der Blaswiderstand darf nicht zu groß sein und der Atem muss fließen können. Die Klappen dürfen kein Spiel haben, die Klappenlage muss günstig sein, das Instrument soll »in der Hand liegen«. Für Schüler/innen und Musiker/innen im Blasorchester ist eine Mechanik mit sechs Brillenringen, vier Trillern am Oberstück, Gabel-b-h-cis-Verbindung und F-Heber ausreichend. Mit einer musikalischen Weiterentwicklung steigen natürlich auch die Anforderungen an das Instrument.

Mundstück und Blatt

Ich empfehle für den Anfang generell eine mittlere Mundstückbahn, sowohl hinsichtlich Länge als auch Öffnung. Fortgeschrittene Spieler mögen dann selbst ausprobieren, ob eine längere oder kürzere Bahn, eine größere oder kleinere Bahnöffnung den Klang verbessert – und nur darum geht es. Das Aufkleben einer »Bissplatte« aus Gummi oder Silikon auf das Mundstück gibt vielen ein angenehmeres Gefühl beim Blasen. Die Blattstärke muss immer der Bahn angepasst werden. So kann ein 3er-Blatt für die eine Bahn viel zu leicht und für eine andere Bahn viel zu schwer sein. Das Blatt sollte immer von höchster Qualität sein, sicher ansprechen, einen guten Klang erzeugen und möglichst lange halten. Neue Blätter dürfen am Anfang nur wenige Minuten geblasen werden, da sie sonst an Spannung verlieren. Ein erfahrener Lehrer zeigt seinen Schülern, wie sie die Seitengleichheit prüfen und die Ansprache durch kleine Korrekturen an der Oberseite mit Schmirgelpapier, Messer oder Schachtelhalm, an der Unterseite mit Hilfe eines Abziehsteines verbessern können.

Mundstückbahn

Der Instrumentenmacher oder der erfahrene Lehrer muss den gleichmäßigen Verlauf der Bahnschenkel ab und zu überprüfen und gegebenenfalls nacharbeiten. Leichtestes Anstoßen der Mundstückspitze (manchmal genügt loses Liegen in der Kapsel) kann den Bahnbogen aufwerfen. Wird diese Aufwerfung beseitigt bzw. der parallele Verlauf der Bahnschenkel wiederhergestellt, ist die Ansprache wesentlich besser.

Einstellung der Federn

Ein wichtiger Punkt, der oft vernachlässigt wird, ist die Einstellung der Federzüge der einzelnen Klappen. Zwar darf sich eine Klappe bei einer zufälligen leichten Berührung nicht öffnen; auf der anderen Seite ist es einer ausgewogenen Technik sehr zuwider, wenn sich beispielsweise die 4er-Klappen nur mit erheblichem Druck öffnen lassen. Bei fabrikneuen Instrumenten kommt dies leider viel zu oft vor. Der erfahrene Instrumentenmacher kann diese Mängel leicht beheben, weshalb man ein Instrument auch nur dort kaufen sollte, wo auch ein qualifizierter Service geboten wird.

Das Etui sollte so eingerichtet sein, dass Unterstück und Becher zusammen, alle anderen Teile aber einzeln aufbewahrt werden können. Günstig ist ein Ablagefach für Zubehör wie Blätteretui, Talg usw. Feuchte Wischer dürfen nie in das Etui gelegt werden.

Ständer sind eigentlich nur nötig bei einem Wechselinstrument (A/B). Ansonsten verleiten sie zu Hause zur Schlamperei: Die Klarinette wird einfach abgestellt. Oder sie sorgen für Gefahr, denn im Vorbeigehen kann man leicht das Instrument umstoßen.

Instandhaltung und Pflege

Pflege nach dem Spiel

Nach dem Spielen Blatt abtrocknen und ins Etui legen. Mundstück mit einem kleinen Taschentuch austrocknen. Mit einem Wischerstab ein kleines Taschentuch durch die übrigen Teile hindurchziehen. Feuchtigkeit aus den Zapfenherzen komplett entfernen. Holz und Mechanik mit einem Trikotlappen abreiben. Die Korkzapfen müssen immer mit Hirschtalg oder einem ähnlichen Material eingefettet werden, um ein leichtes Zusammenbauen zu ermöglichen.

Ölen der Bohrung

Durch Kondenswasser wird die Innenbohrung beeinträchtigt. Das Holz wird ausgelaugt. Selbst bei vorbildlichem Auswischen wird die Bohrung rau. Wir ölen die Bohrung zweimal im Jahr. Dazu lassen wir das Instrument drei bis vier Tage im offenen Etui austrocknen. Mit einem Blockflötenwischer wird mehrmals ein feiner Ölfilm (Öl für das Holz) eingebracht. Die offenporigsten Stellen saugen das Öl schnell auf. In solchen Fällen mehrmals nachölen. Dabei ist natürlich Vorsicht geboten, denn sobald Öl an die Lederpolster gerät, werden diese hart.

Wasser in den Klappen

Wer kennt es nicht, dieses gurgelnde Geräusch, das immer im ungünstigsten Moment auftritt? Wasser ist wieder in einer Klappe. Das Ablegen des Instruments, ohne es vorher ausgewischt zu haben, kann eine Ursache dafür sein. Aber auch am Blasen des kalten Instruments kann es liegen, denn aus dem Atem scheidet ein kaltes Instrument mehr Kondenswasser ab. Abhilfe: In kürzeren Abständen mit einem Durchziehwischer Feuchtigkeit aus der Bohrung entfernen. Die betroffenen Klappenlöcher auspusten und nochmals durchwischen. In hartnäckigen Fällen entfernt man die Birne und lässt in Spielhaltung einen Tropfen Speichel durch die Bohrung laufen.

Kleinreparaturen und Wartungsarbeiten

Löst sich ein Polster, kann man die Klappe vorsichtig mit der Flamme eines Gasfeuerzeuges erwärmen und es somit wieder fixieren. Bricht eine Feder, kann ein kleiner Gummiring notdürftig die Funktion wiederherstellen.

Über die Notreparaturen kann sich mancher – der Lehrer ist fast dazu gezwungen – bestimmte Fertigkeiten aneignen:

- ein einzelnes Polster auswechseln
- die Klappen justieren (zum Beispiel bei schlechter Ansprache von c^2)
- Ablagerungen aus den offenen Grifflöchern entfernen (klingt das b^1 zu tief, kann es sein, dass sich in der Hülse der Überblasklappe Fusseln verfangen haben)
- Justierschrauben, die sich immer wieder verstellen, mit einem kleinen Tropfen Klebstoff fixieren.

Wir reinigen einmal im Jahr die Instrumente, indem wir die ganze Mechanik abschrauben. Hierbei leite ich auch die kleineren Schüler an: Sie lernen, wie die Klappen nacheinander abgeschraubt und nachher in der richtigen Reihenfolge wieder angebracht werden. Außerdem lernen sie, den Abrieb von den Achsen und aus den Achsenröhrchen zu entfernen, die Klappen zu putzen, die Achsen zu ölen und den Staub mit Pinsel vom Holz zu entfernen.

Methodik

Unterrichtsart

Als Verfechter des Gruppenunterrichts kann ich jedem Lehrer sehr empfehlen, sich mit dieser Unterrichtsart auseinanderzusetzen und die positiven Seiten für seinen Unterricht zu nutzen. Eine Mischung von Einzel- und Gruppenunterricht ist sicher am erfolgreichsten. Zu Beginn überwiegt der Gruppenunterricht. Die Möglichkeit für ausgedehnte Atem- und Bewegungsspiele ist nur hier gegeben, denn im Einzelunterricht fehlt dafür einfach die Zeit.

Üben und Ensembles

Jeder weiß: Will man im Sport Leistungen erbringen, muss man mehrmals in der Woche trainieren. Ebenso ist es beim Musizieren, auch auf der Klarinette. Jeder sollte seinen »Trainingsplan« haben. Gemeinsames Musizieren und Auftritte im Ensemble können sehr motivierend wirken. Es gibt sehr viel Literatur für alle Klarinettenbesetzungen: vom Duo bis zum Klarinetten-Chor. Die tiefen Klarinetten (Alt, Bass, Kontrabass) bereichern das Ensemblespiel, aber auch den Klang eines Blasorchesters ungemein.

Haltung

Eine aufrechte Haltung ist wichtig. Das Gewicht muss gleichmäßig auf die leicht gespreizten Beine verteilt sein. Das Instrument wird im Winkel von etwa 45 Grad zum Mund geführt. Die Finger sollten immer rund und nicht abgestreckt über den Löchern bzw. Klappen sein. Bei jungen Schülern kann ein Gummiband das Gewicht der Klarinette verringern, das ja voll auf dem rechten Daumen lastet.

Einstimmen – Intonationsprobleme

Die Wahl eines »stimmenden« Instruments ist der erste Schritt. Das System Mundstück/Blatt muss optimal sein. Ständiges Hören aufeinander und Ausgleichen von Unstimmigkeiten kann man nur im Spiel in kleinen Gruppen erlernen – im Zusammenspiel mit gleichen oder anderen Instrumenten. Sind Flöten dabei, muss man beachten, dass diese im *pianissimo* tiefer werden, während die Klarinette im *pianissimo* eher nach oben tendiert. Zum Einstimmen sind h^1 bzw. c^2 alleine nicht geeignet. Wir geben ein klingendes b vor, vergleichen unser c^1 und überprüfen darüber hinaus Oktav, Quart und Quint.

Griffe und »Hilfsgriffe«

Beide Klarinettensysteme haben inzwischen eine ausgereifte Mechanik, die für manche Töne mehrere Griffmöglichkeiten bietet. Wichtig ist, dass der Schüler von Anfang an lernt, bei einer bestimmten Tonverbindung einen ganz spezifischen Griff einzusetzen. Dies ist die Voraussetzung für eine gute Spieltechnik. Das Notenbeispiel auf Seite 50 zeigt »unsere« Griffe für bestimmte Töne.

Spiel unter widrigen Verhältnissen

Kirchenorgeln intonieren manchmal sehr tief. Um die Stimmung anzugleichen, sollte man nicht nur an der Birne, sondern auch zwischen Ober- und Unterstück ausziehen. Das Einlegen einer Blattschnur in die Innenbohrung ab der Birne ist einen Versuch wert. Die Klarinette klingt tiefer, die Intonation ist ausgeglichener. Mit dem veränderten Anblasdruck muss man sich auseinandersetzen.

Spiel im Freien

Marschmusik und Freiluftveranstaltungen gehören nun mal zum Aufgabenbereich der Blasorchester. Der leichteste Nieselregen fügt den Holzblasinstrumenten größten Schaden zu. Selbst sorgfältigstes Abtrocknen reicht nicht aus: Wasser hat die Federn erreicht und ist zu den Achsen vorgedrungen. Als Folge blockiert Rost den leichten Gang der Klappen oder lässt sie gar festsitzen. Mein Rat: Beim ersten Regentropfen Instrumente in einer großen Plastiktüte verschwinden lassen. *Hans-Peter Blank*

Erschienen in Clarino 2/1998

Empfohlene Griffe für bestimmte Tonfolgen:
N = Normalgriff (mit beiden kleinen Fingern)
L = nur linker kleiner Finger
4 = mit Ringfinger
0 = Gabelgriff
2 = Zeigefinger

Etüdenmaterial für Klarinettisten

Auf die richtige Wahl kommt es an

Die »Etüde«, ein leidiges Thema, das wohl jeder aus seiner eigenen Instrumentalunterrichtszeit zur Genüge kennt. Allein schon der Gedanke daran verursacht vielen Schülern und Lehrern Kopfzerbrechen. Zumeist verbindet man damit jene seitenlangen Tonketten in Sechzehntel- oder Zweiunddreißigstelnoten mit drucktechnisch gesehen nahezu schwindelerregendem »Schwarz-Anteil« Bei entsprechender Engführung und Kompression der einzelnen Zeilen ist jegliche Motivation zur Erarbeitung der Etüde von vornherein infrage gestellt.

Die bei solchen »Nähmaschinenetüden« erlangte Technik dürfte wohl in der Hauptsache in der Erlangung mechanischer Fertigkeiten bestehen. Darüber hinaus kann sicher in eingeschränkter Weise eine gewisse Atemtechnik gefördert werden.

Die bei derart gestalteten Etüden erzielte Fingerfertigkeit und Fähigkeit zu flüssigem, gleichmäßigem Spiel kann jedoch gewiss auch durch eigene Tonleiterstudien, die der Schüler gemäß Lehreranweisung analog in diversen Skalen ausführen kann, ebenso erreicht werden. So kann zum Beispiel durch das Üben von gebrochenen Tonleitern und/oder Akkorden (auf auswendiger Basis!) der Schüler dazu motiviert werden, eigene Kreativität zu entwickeln und selbstständig Übungen zu erfinden, die er dann zusammen mit dem Lehrer oder auch alleine ausführt. Dies ist eine vieler Möglichkeiten, um weit abseits von unserem stark »notistisch« orientierten Klangbild die individuelle Fähigkeit zur improvisatorischen Entfaltung zu fördern.

Musikalische Komponente

Somit sind wir bei einem weiteren Punkt angelangt, der eine »gute« Etüde kennzeichnet. Hat die Etüde auf der einen Seite die Aufgabe, mechanische Fertigkeiten zu bilden und zu festigen, so hat sie andererseits auch immer eine musikalisch agogische Komponente. Eine Etüde sollte immer wie ein eigenständiges Musikstück gespielt werden. Die rein technischen Schwierigkeiten treten allmählich weiter zurück und weichen dem musikalischen Ausdruck sowie der dem Stück innewohnenden Charakteristik. Jedoch wird die rein technische Seite stets Grundvoraussetzung sein. Beide Aspekte gehen nebeneinander her, um sich im Idealfall sinnvoll zu ergänzen. Wird jedoch der technische Gehalt einer Etüde zu hoch für den Schüler sein, so ist er sicherlich auch nicht in der Lage, die Etüde musikalisch reif zu interpretieren.

Da sowohl mechanische Fertigkeiten als auch die Fähigkeit zu musikalisch ausdrucksvollem Spiel keinesfalls Aspekte sind, die beim Instrumentalisten sofort ganz ausgeprägt sind, ist es sicherlich erstrebenswert, den Schüler langsam und behutsam dorthin zu führen. Etüden sollten im Instrumentalunterricht so bald wie möglich zum Einsatz kommen. Schon die kleinste grifftechnische Übung kann hierbei quasi als Grundstein für spätere größere Etüden gesehen werden. Etüden müssen immer als Ergänzung zum Schulwerk betrachtet werden. Sie leisten in jenen Bereichen, in denen ein Schulwerk nicht intensiv genug bestimmte Gebiete der musikalischen Parameter abhandelt, im individuellen Schülerfall wirksame Hilfe. Kein Schulwerk kann alle Parameter im Hinblick auf instrumentalpädagogische Erziehung so abdecken, dass für jeden Schüler genau die richtige Dosierung an Übematerial in allen Bereichen vorhanden ist.

Auswahl

Eine wichtige Aufgabe des Lehrers ist hierbei die richtige Wahl der Etüden. Dabei müssen verschiedene Kriterien berücksichtigt werden: zum Beispiel äußeres Erscheinungsbild, Umfang der

Etüde, erforderlicher Tonumfang, Problemstellung, Orientierung am Lernziel, Aufbau, Methodik sowie Motivationsaspekte. Natürlich kann ein Instrumentallehrer nicht immer einzelne Etüden für bestimmte Probleme finden. Jedes Etüdenwerk hat aber einen inneren kontinuierlichen Ablauf, und es muss kein Etüdenwerk in der Chronologie der einzelnen Nummern durchgearbeitet werden.

Dieses »Durcharbeiten« von Etüdenbänden wird eher für fortgeschrittene Schüler der Fall sein (zum Beispiel Studienanwärter). Sie sind gemäß ihres Ausbildungsstandes und ihrer Motivation eher dazu bereit, die nötige Kraft und Ausdauer mitzubringen, sich durch diese Etüdenbände, zum Beispiel Bärmann, Kröpsch, Uhl, Stark und Klose, um nur einige wenige zu nennen, durchzuarbeiten. Dies ist für ein anstehendes Musikhochschulstudium sicherlich wichtig, um das nötige »Rüstzeug« zu besitzen. Mein Bestreben ist jedoch, Etüdenwerke zu finden, die schon in den ersten Unterrichtsjahren verwendet werden können und eventuell als Hinführung zu oben genannten Etüden dienen.

Im Folgenden möchte ich die unterschiedlichen Kriterien, die zur Bewertung einer musikalisch sinnvollen Etüde gehören, anhand von Ausschnitten aus diversen Etüdensammlungen zusammenfassend erläutern.

Erscheinungsbild, Umfang und Tonumfang

Was das Erscheinungsbild anbelangt, so ist die räumliche Einteilung sehr wichtig. Zu enge Zeilenführung und sehr kleiner Notendruck wirken leicht abschreckend ob der gestauchten Notenmenge. Großzügige Raumeinteilung und eventuell hervorgehobene Nummerierung wirken hingegen auflockernd. Eine Etüde mit mehr als einer Seite Umfang ist von vornherein deutlich negativer zu sehen als eine Etüde, die das Maß einer Seite nicht überschreitet und vielleicht sogar am oberen und unteren Seitenrand großzügig freien Raum erkennen lässt. Diese beiden Punkte sind in erster Linie für den Schüler interessant. Für den Lehrer kommt noch der wichtige Punkt des Tonumfangs hinzu.

Der Tonumfang sollte dem Schüler angemessen sein, das heißt seinem bisher erarbeiteten Tonumfang entsprechen (eher sogar darunter liegen), sodass der Schüler nicht zusätzlich zur behandelten Etüdenproblematik die Problematik eines zu großen Tonumfangs bewältigen muss (siehe Notenbeispiel 1). Der Tonumfang g bis c^3, wobei c^3 nur einmal erscheint, ist so bequem,

dass die Konzentration auf die rhythmischen und artikulatorischen Inhalte dieser Etüde nicht beeinträchtigt wird. Das Erscheinungsbild und der Umfang der Etüde wirken kompakt und sehr übersichtlich.

Problemstellung, Orientierung am Lernziel

Jede Etüde sollte dem Schüler die Möglichkeit geben, bestimmte Fertigkeiten zu vertiefen. Sie muss daher von der Problemstellung so angelegt sein, dass schwerpunktmäßig ein Lernziel verfolgt wird. Dabei ist der positive Nebeneffekt nicht auszuschließen, dass im selben Zusammenhang andere Fertigkeiten mitgeübt werden. Außerdem ist es sehr wichtig, dass dem Schüler genaue Arbeitsanweisungen gegeben werden, zum Beispiel Atemzeichen, Tempoangaben oder der Hinweis, eine Etüde zunächst ohne Verzierungen zu üben und sich diesen separat zu widmen, bevor sie in den Zusammenhang integriert werden (siehe Notenbeispiel 2). Arbeitsanweisungen müssen natürlich auch vom Lehrer erteilt werden; ich finde es aber durchweg positiv, wenn der Autor der Etüde diesbezüglich selbst Stellung nimmt und pädagogisch vorarbeitet.

Methodik, Aufbau

Was die Methodik vieler Etüden anbelangt, so beschränkt sich die Vermittlung von zum Beispiel rhythmischen Figuren auf die alleinige Repetition dieser Figuren in monotonster Weise. Interessant ist, wie bei folgender Etüde (siehe Notenbeispiel 3) die Problematik des Trio-

Notenbeispiel 1: Etüde mit angemessenem Tonumfang

Notenbeispiel 2: Zunächst ohne Verzierungen zu üben

lenspiels erarbeitet wird. Besonders wichtig ist hierbei zu sehen, dass nicht allein Triolen in Aneinanderreihung geübt werden, sondern dass sofort auch der Bezug zu Achteln hergestellt wird. Zweitaktige triolische Melodiephrasen wechseln sich mit zweitaktigen Achtelphrasen ab und fordern somit vom Schüler äußerste Flexibilität und das exakte Verständnis der Unterschiedlichkeit der Figuren. Dies ist methodisch sehr gut bewerkstelligt, zumal auch in der Literatur häufig diese verschiedenen Figuren in unmittelbarem Zusammenhang erscheinen.

In der Literatur finden sich zahlreiche andere Methoden der Triolen- und Achtelkontrastierung, wobei ich anmerken möchte, dass es einige Duettbände gibt, die deutlich Etüdencharakter zeigen. Das Spiel im Duett mit dem Lehrer oder mit anderen Schülern birgt eine zusätzliche Motivation in sich.

Motivation

Sowohl die Problemstellung der Etüde als auch das äußere Erscheinungsbild bergen in sich eine gewisse Übemotivation für den Schüler, der eine bestimmte Sache an seinem Spiel zu verbessern sucht.

Zum Zweiten bietet die Form des Duettspiels eine weitere Möglichkeit der Motivation. Sehr interessant ist für den Schüler stets jedoch das einer Etüde immanente Programm, ausgedrückt durch eventuelle Betitelungen oder Überschriften. Überschriften geben der Etüde immer den Charakter einer konzertanten Komposition. Der Schüler sieht hierbei sofort für sich die Möglichkeit zur Interpretation und die Etüde verliert zunächst den Anschein des Mechanischen.

Da wir sehr viel mit internationalem Etüdenmaterial zu tun haben, welches nicht ins Deutsche übersetzt ist, muss der Lehrer hier un-

Notenbeispiel 3: Kontrast zwischen Triolen- und Achtelbewegung

Notenbeispiel 4:
Assoziationshilfe
durch Überschrift
(»Bock springen«)

bedingt auch als Übersetzer fungieren. Es wäre zu schade, wenn zum Beispiel »méditation et danse« oder »à saute-mouton« dem Schüler nicht übersetzt werden (falls er selbst noch nicht in der Lage dazu ist). Wie wichtig ist doch die Betitelung für den Schüler, der daraufhin seine Interpretation der Etüde auch im Hinblick auf die Technik viel besser bewerkstelligen kann. »Meditation und Tanz« oder »Bock springen« sind genau die wichtigen Assoziationshilfen, die der Schüler benötigt. Ohne Übersetzung würden die Etüden vielleicht doch nur wieder »mechanische« sein; ohne musikalischen Ausdruck und Individualität (siehe Notenbeispiele 4 und 5).

Abschließend betrachtet möchte ich noch einmal darauf hinweisen, dass es letztendlich immer wieder die Entscheidung des einzelnen Lehrers ist, welches Etüdenmaterial er heranzieht. Man sollte immer sehen, inwieweit eine Etüde sowohl technisch (mechanisch) als auch vom musikalischen Ausdruck her in einem ausgewogenen Verhältnis steht. Ich hoffe, dass ich eine kleine Hilfestellung leisten konnte, was die Auswahlkriterien von Anfängeretüden betrifft. Eine Wertung einzelner Etüdenbände liegt mir fern. Ich möchte dennoch diejenigen Werke, die ich zu meinen Erläuterungen herangezogen habe, empfehlen und hoffe, dass auf diesem Weg ein fruchtbarer Dialog in puncto Klarinettenmethodik entsteht.

Quellenverzeichnis

Notenbeispiel 1: Bert Kehrer: »Der junge Klarinettist«, 17 originale Etüden, Blasmusikverlag Fritz Schulz, Freiburg
Notenbeispiele 2, 3, 4, 5: Jean Calmel: »14 petites études melodiques pour la clarinette (degré preparatoire)«, Editions M. Combre, Paris

Thomas Krause

Erschienen in Clarino 5/1993

Notenbeispiel 5

Jörg Widmann

»Lichtgestalt« der Avantgarde-Musik

Nada Brahma – die Welt ist Klang. Kaum ein Musiker der jüngeren Generation vermittelt diese aus dem altindischen Sanskrit überlieferte Anschauung so exemplarisch wie der Klarinettist und Komponist Jörg Widmann. Schon im Alter von sieben Jahren entdeckte er sein Instrument, traf eine ganz persönliche, von elterlichen Einflüssen unabhängige Entscheidung. Es war nicht die Schönheit des Instruments oder die Ausstrahlung eines Musikers, die seine Wahl beeinflussten. Es war ganz einfach der Klang der Klarinette, der ihn gefangen nahm und bis auf den heutigen Tag nicht mehr losgelassen hat.

Zu dieser Klangentscheidung kam es während eines musikalischen Früherziehungskurses an der Musikschule Unterhaching bei München. Den jungen Schülern, die nicht auf ein Instrument fixiert waren, sollte über das Hören ein Verständnis von Musik vermittelt werden, erste Schritte der Gehörbildung und Sensibilisierung unabhängig vom Instrumentalunterricht. Die Entschiedenheit, mit der Jörg Widmann seine Wahl traf, ist vielleicht der ausgeprägteste Zug einer in jeder Hinsicht bemerkenswerten Persönlichkeit. Sie ist auf jeden Fall ein roter Faden, der in den wichtigen Momenten von Widmanns Musikerkarriere positiv in Erscheinung trat.

Widmann kommt aus einem Elternhaus, in dem Musik eine wichtige Rolle spielte, als Liebhaberei von den Eltern spielend und hörend gepflegt wurde. Der Unterricht an der Musikschule auf dem Wunschinstrument Klarinette wurde für den Grundschüler sehr bald mehr als eine Fortbildung neben dem Schulbesuch. Nach kurzer Zeit kam Klavier als zweites Instrument dazu. Widmann übte nicht nur die Stücke für den Unterricht, immer wichtiger wurde das Ausprobieren, die freie Improvisation. Rund zwei Jahre nach Unterrichtsbeginn machte er seine ersten Kompositionsversuche, die zunächst der Erprobung vertikaler Strukturen dienten, wohl eine Art harmonischer Versuchsreihen waren. Die

Mutter von Jörg Widmann erinnert sich an eine Begebenheit, welche die schon damals rasanten Fortschritte des Sohnes in einem anderen Licht erscheinen lässt. Die Familie hatte ein Sinfoniekonzert besucht, bei dem unter anderem Mozarts Jupiter-Sinfonie gespielt worden war. »Jörg war so begeistert, dass er sich sofort nach unserer Heimkehr ans Klavier setzte und einige Motive aus dem Gedächtnis und in der richtigen Tonart nachspielte. Auf unsere Frage, wie ihm das so ohne weiteres möglich sei, antwortete er nur: ›Das hört man doch.‹« So stellte sich heraus, dass Widmann ein »absolutes Gehör« hat, eine Fähigkeit, die nicht erlernbar, die angeboren ist und über die auch Menschen ohne jede musische Ausbildung, die sich selbst für völlig unmusikalisch halten, verfügen können.

Jörg Widmann war ein Wunderkind, aber kein musikalischer Musterschüler, versunken in die Welt der klassischen Musik und abseits jeder zeitgemäßen stilistischen Neigung, wie das in Klischeebildern gerne gezeichnet wird. Nach Abschluss der Grundschule kam er auf das musische Pestalozzi-Gymnasium in München. Dort wirkte er bald auch in der Schulband mit, bezeichnenderweise als Pianist und Keyboarder. Doch die übliche Jazz/Rock/Pop-Melange erfüllte ihn nur bedingt. »Wir haben dann auch mal ein Oboenkonzert von Händel eingeschoben«, erinnert er sich, und auf die Nachfrage, wie denn seine Mitspieler zu derart verschrobenen Ideen zu bewegen gewesen seien, meint er hintergründig lächelnd: »Die haben komisch geguckt, aber mitgemacht.« Das illustriert den zweiten grundlegenden Charakterzug Widmanns: Er kann Menschen für sich einnehmen, ohne ein Überredungskünstler oder Selbstdarsteller zu sein. Man glaubt ihm sein Engagement für die Dinge, die ihm wichtig sind, man spürt seine innere Verbundenheit und Berührtheit mit dem Wesentlichen.

Im Sommer 2003 kam sein bislang größtes Werk zur Aufführung. Die Oper »Das Gesicht im Spiegel« war ein Auftragswerk der Bayerischen Staatsoper München und enthielt die Aufforderung, eine Kammeroper ohne Chor zu schreiben. Bei der Arbeit an der Partitur gelangte Widmann jedoch zu der Erkenntnis, dass er einen Kin-

derchor einsetzen wolle. Es gelang ihm, sich mit seiner Idee durchzusetzen. Und gerade der Einsatz des Tölzer Knabenchors wurde bei der Uraufführung als »größter Coup« (Abendzeitung München) gefeiert.

1986, im Alter von 13 Jahren, wurde Jörg Widmann Jungstudent an der Musikhochschule München bei Gerd Starke. Seinem deutschen Hochschullehrer blieb er so lange treu, bis er nach New York an die Juilliard School wechselte, wo er 1994 und 1995 bei Charles Neidich seine Ausbildung fortsetzte und abschloss. Den Klarinettisten Jörg Widmann aber kann man in seiner Komplexität und seiner Meisterschaft nur begreifen, wenn man den Blick auch auf den Komponisten richtet – um eine Feststellung umzukehren, die Max Nyffeler in seinem Programmheftbeitrag zur Münchner Uraufführung gemacht hat.

Die Entwicklung zum Komponisten vollzog sich planmäßig (wenn das möglich sein sollte), seit er elfjährig mit Kompositionsunterricht bei Kay Westermann begann. Doch Widmanns Werdegang wäre anders, wenn auch wohl nicht weniger zielstrebig verlaufen ohne ein Projekt, das die Münchner Biennale 1990 mit dem Pestalozzi-Gymnasium realisierte. Gegenstand war die Schuloper »Absences«, an deren Entstehen Widmann maßgeblich beteiligt war (die er aber aus seinem Werkkatalog gestrichen hat). Der Erfolg, den die Oper hatte, zeitigte jedoch zwei Ergebnisse: Zum einen begründete sie den Ruf des Nachwuchskomponisten in der lebendigen Münchner Musikszene der 90er-Jahre, zum anderen wurde Hans Werner Henze, Begründer und damals Leiter der Biennale, auf ihn aufmerksam. So wurde Widmann von 1993 bis 1996 Schüler von Henze und außerdem von Wilfried Hiller. Später setzte er sein Studium in Karlsruhe

an der Musikhochschule bei Heiner Goebbels und Wolfgang Rihm fort. Das wichtigste und richtungweisende Frühwerk Jörg Widmanns aus dieser Zeit ist die »Insel der Sirenen«, 1997 beim Warschauer Herbst uraufgeführt, in Deutschland erstmals durch Christoph Poppen und das Münchner Kammerorchester im Herbst 1998 gespielt.

In der Fixierung des Komponisten Widmann auf klangliche Aspekte, die Arbeit mit Klangflächen, die am Rande der Unhörbarkeit beginnen und sich zu Ausbrüchen elementarster Emotion steigern, schwingt immer auch die Klangvorstellung des Klarinettisten mit. Die lässt sich auch auf die Arbeit mit seinem New Yorker Lehrer Charles Neidich zurückführen. Dieser animierte seinen Schüler dazu, sich Aufnahmen Arturo Toscaninis anzuhören, deren ganz eigener Ton und dessen spezielle Phrasierungen noch immer einzigartig sind. »Ich hätte«, bekennt Widmann, »nie geglaubt, wie wichtig mir der technische Aspekt der Klangherstellung einmal werden würde.« Andererseits lernte er in New York aber auch, die Tonbildung auf seinem Instrument nicht als einen absoluten Prozess zu betrachten, sondern im Zusammenhang mit den jeweiligen

Jörg Widmann (Mitte) im Kreise des Berliner Vogler-Quartetts im Bibliothekssaal der oberbayerischen Gemeinde Polling

Werken, Epochen, Komponisten zu erschließen und umzusetzen. So verlange das Schubert-Oktett eine gänzlich andere klangliche Gestaltung als etwa Brahms oder Strawinsky, erläutert Widmann. Das Trio für Klavier, Klarinette und Violoncello op. 114 von Johannes Brahms hat Widmann im Sommer 2003 gleich zweimal mit prominenten Kollegen, Heinrich Schiff und Natalia Gutman, aufgeführt. Diese mehrmalige Arbeit an ein und demselben Werk, jedoch mit verschiedenen Partnern, habe ihm wieder einmal gezeigt, dass es in der Musik nicht den einen, vermeintlich richtigen Weg gibt, sondern dass die Vielfalt intellektueller Vorstellungen und interpretatorischer Vorgehensweisen wichtig ist, um Musik spannend und lebendig zu erhalten.

Jörg Widmann gehört zur immer seltener gewordenen Spezies des Musiker-Komponisten. Neben ihm ist noch der Oboist und Komponist Heinz Holliger zu nennen, der als Professor an der Musikhochschule Freiburg lehrt und für Widmanns Werdegang von einiger Bedeutung war. Als Klarinettist könnte Widmann bei einem der großen Orchester in prominenter Position beschäftigt sein und einige beachtete Kompositionen vorgelegt haben. Er ist jedoch mindestens in seiner Generation als Instrumentalist unerreicht. Widmann hat eine Vollendung, eine klangliche und technische Virtuosität erlangt, die ihn in den vergangenen Jahren zu einem gefragten Solisten im internationalen Musikgeschäft gemacht haben.

Das Internet kennt er nur vom Hörensagen, er hat keinen Computer, fährt kein Auto, das Faxgerät ist meist kaputt, telefonisch ist er nur über die Handy-Mailbox zu erreichen. Widmann gehört zu den wenigen Künstlern, die sich vor Angeboten kaum retten können. Er hetzt von Konzert zu Konzert, von einem Festival zur nächsten

Verpflichtung, macht aber deutlich, dass er das auch so will. Weil er mit jeder Faser seines Seins der Faszination der Musik erliegt. Weil er ein sparsames, nur auf die Musik konzentriertes Leben führt. »Man lernt nie aus«, sagt er. Dieses simple, alltägliche Statement enthält nicht die Spur einer aufgesetzten Bescheidenheit, sondern ist das Bekenntnis eines Musikers, der der Musik dient, anstatt sie nur zu spielen.

Als Interpret eigener Werke ist Widmann nicht minder gefragt. Das umfassende Werkverzeichnis macht deutlich, dass der Komponist keineswegs den Interpreten Widmann über Gebühr bevorzugt. Vielleicht ist es kein Zufall, dass »Kreisleriana«, die erste Komposition von 1993, für Violine und Orchester geschrieben wurde. Carolin Widmann, seine jüngere Schwester, ist Geigerin und Interpretin einer ganzen Reihe von Violin-Etüden, deren Nummer 3 sie auf einer bei Wergo veröffentlichten CD (WER 6555 2) eingespielt hat. Die Stücke mit Klarinettenbeteiligung – ganz besonders ist hier die höchst eindrucksvolle »Fieberphantasie« für Klavier, Streichquartett und Klarinette von 1999 zu nennen, die auch auf der genannten CD enthalten ist – werden von Widmann indes selbst häufig aufgeführt. Der Grund dafür liegt zuvorderst in der klanglichen Ästhetik dieser Werke, durch die die vollkommene Verschmelzung von Musiker und Komponist erst so richtig augenfällig wird.

Dass die Avantgarde hierzulande nur von einem verschwindend geringen Teil des Publikums wahrgenommen wird, irritiert ihn nicht. »Es mag für eine Minderheit sein, was ich mache«, konstatiert Widmann, »doch es entspricht meiner Überzeugung.« Das Publikum, fügt er hinzu, werde hinsichtlich der Rezeption moderner Musik unterschätzt. Widmanns Arbeit, als Musiker wie als Komponist, schlägt klanglich und programmatisch Brücken über die Grenzen von Epochen. Der Weg von der Avantgarde-Musik der unmittelbaren Gegenwart zur Klassik ist nicht so weit, wie es den Anschein hat. In einem umjubelten Konzert in der Philharmonie Köln spielte Widmann an einem Abend die Konzerte für Klarinette und Orchester von Mozart und Wolfgang Rihm (das Widmann gewidmete Werk trägt den Titel »Über die Linie II«). Und Mozarts Klarinettenkonzert, das er seit Beginn seiner Karriere immer wieder gespielt hat, ist für ihn das zentrale Werk der Klarinettenliteratur schlechthin. An ihm erforscht der Interpret, der mit dem scharfen Blick des Komponisten auch hinter die Fassaden der Partituren zu blicken vermag, immer wieder sich selbst, stellt seine klanglichen Möglichkeiten auf die Probe.

Im Jahr 2001 erhielt Widmann einen Anruf des gut drei Jahrzehnte älteren, ihm kollegial und freundschaftlich verbundenen Heinz Holliger. Der Lehrstuhl für Klarinette von Dieter Klöcker an der Hochschule für Musik in Freiburg war vakant. Eine Reihe von Kandidaten hatte bei Vorstellung und Probeunterricht keine Mehrheit gewinnen können. Holliger bat den Kollegen, eine Lehrprobe zu geben. Widmann erhielt einstimmig den Ruf als mit 28 Jahren wohl jüngster

Professor an einer deutschen Musikhochschule. »Für mich war das eine ganz neue Erfahrung. Ich habe vorher nicht gewusst, wie viel Freude mir das Unterrichten machen würde«, gibt Widmann zu. Die Berufung an eine Hochschule, deren große Bläsertradition durch Holliger, Klöcker oder Aurèle Nicolet verkörpert wird, eröffnete ihm neue Perspektiven. Seine Klasse mit zehn Schülern, von denen jeder wöchentlich An-

spruch auf zwei Unterrichtsstunden hat, ist für ihn auch eine Art Ruhepol geworden. Bei aller Konzerttätigkeit widmet sich Widmann mit großer Energie und Intensität seinen Studenten. Die Hochschulausbildung sieht er nicht als reine Eliteförderung, es müsse auch Platz sein für Musiker, die nicht in ein Orchester wollen oder können. Widmann geht es um eine Förderung aller Schüler. Er bemüht sich, Wege auch für die weniger Guten zu finden und Fühlung mit ihnen aufzunehmen, Dinge rechtzeitig anzusprechen, um dem späteren Werdegang möglichst früh die beste Richtung zu geben. Bei der Vorbereitung auf Wettbewerbe setzt Widmann den Unterricht auch in den Ferien fort. Im Hinterkopf hat er dabei in erster Linie den Stellenwert der Ausbildung: Nicht jeder gute Musiker taugt zum Lehrer, nicht jeder Hochschulprofessor hat Karriere auf dem Konzertpodium gemacht. Das Arbeiten und Musizieren mit Kollegen und Schülern erfüllt Widmann: »Ich lerne viel im Austausch mit anderen Musikern, aber auch durch die Fragen meiner Schüler.« Konkurrenz kennt er nicht.

Auch ist Jörg Widmann kein Instrumenten-Fetischist. Er besitzt lediglich einen Satz Klarinetten (B-, A- und Bassklarinette) aus der »Kunstwerkstatt für Holzblasinstrumente« von Herbert Wurlitzer, deren Herstellung er mit Besuchen in Neustadt an der Aisch begleitet hat. Jedes Instrument, so hat er die Erfahrung gemacht, hat seine Eigenheiten, wobei die Mittellage bei allen Klarinetten problematisch sei. Größten Wert legt er – natürlich – auf die Flexibilität in der Tongebung. Widmann spielt das deutsche System, hat das auch beim Studium an der Juilliard School beibehalten, obwohl in den USA traditionell das französische System gelehrt wird: »In meiner Klasse spielen Vertreter der verschiedenen Schulen und Spielweisen. Letztlich erkennt man einen guten Musiker unabhängig vom Bau seines Instruments.«

Der Klassik-Markt befinde sich in einer gewaltigen Krise, wird seit Jahren geklagt. Der Tonträgerabsatz stagniert, der Konzertbesuch ist rückläufig. Widmann stellt das beste Argument dar, das man solchen Klagen entgegenhalten kann. Seine Karriere ist weder das Ergebnis klugen (neudeutsch: »druckvollen«) Managements noch ambitionierter Selbstvermarktung. Er war kein Kinderstar, bedient keine wie auch immer definierte Zielgruppe von Liebhabern bestimm-

ter Instrumentalmusik, im Gegenteil: Wie alle Holzblasinstrumente ist die Klarinette zwar wichtig für Sinfonik wie Kammermusik, als Soloinstrument agiert sie jedoch auf einem Nebenschauplatz nicht nur der klassischen Musik. Sein Publikum verzaubert Widmann trotzdem, die Menschen kommen zu seinen Konzerten, weil sie ihn hören wollen, unabhängig von individuellen stilistischen oder instrumentalen Vorlieben. Widmann atmet die Musik im wahrsten Sinne des Wortes, er verkörpert sie. Er schafft Klang, dessen Vergänglichkeit gerade durch seine Schönheit als besonders schmerzlich empfunden wird. Ihm gelingen Momente des Glücks. Mehr kann Musik nicht sein.   *André Krellmann*

Erschienen in clarino.print 12/2003

Intonationsprobleme im Klarinettenregister

Hilfestellung und Lösungsvorschläge

*Dieser Artikel soll einen kurzen Einblick in die
speziellen Probleme der Intonation innerhalb
dieses Registers geben. Darüber hinaus ergeben sich Lösungsvorschläge, die helfen sollen,
zunächst bestimmte Probleme zu erkennen.*

Grundmängel in der Intonation

Jeder Klarinettist, der sein Instrument kennen-
lernt und zu »beherrschen« versucht, wird immer wieder mit den Tücken desselben konfron-
tiert werden. Bedingt durch die instrumenten-
spezifische Bauart ergeben sich nicht nur
technische Probleme, sondern im Besonderen
intonatorische Schwierigkeiten. Die Bauweise
der Klarinette lässt im Prinzip zwei Tonreihen erkennen. In der Tiefe finden wir die »Chalumeau-
Reihe«, welche überblasen dann das eigentliche
»Klarinettenregister« mit seinem charakteristischen hellen und tragfähigen Klang darstellt. Da
selbst diese beiden Reihen erhebliche Intona-
tionsschwächen zeigen (Notenbeispiel 1), ist es
verständlich, dass zusätzliche Töne ebenso
schwierig zu intonieren sind.

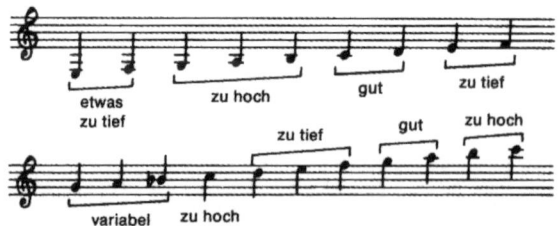

*Notenbeispiel 1: Auszug aus »Die Klarinette« von Jack
Brymer. Der Autor legt seinen Ausführungen die Böhm-
Klarinette zugrunde. Das Schema ist jedoch größtenteils
auch auf das deutsche System übertragbar.*

Mit Hilfe von zusätzlichen Löchern und Klappen war es im Laufe der Entwicklung des Chalumeaus bis hin zur heutigen Klarinette den Klarinettenbauern gelungen, ein Instrument zu schaffen, dessen Tonspektrum enorm groß ist (nahezu vier Oktaven). Leider ist es nicht gelungen, das Tonspektrum ausgeglichen zu gestalten, sodass die Klarinette in jeder ihrer Tonbereiche immer wieder Mängel in Bezug auf die saubere Intonation aufweisen musste. Unzählige Verbesserungen haben diese Mängel zum Teil zwar beheben können, jedoch oft an anderer Stelle neue, unvorhergesehene Probleme bautechnischer Art hervorgebracht.

Intonationsausgleich und Griffkorrektur

Die Möglichkeiten, einzelne Intonationsmängel auszugleichen, sind vielfältig. Hierüber ausführlichst zu schreiben würde sicher den Rahmen dieses Artikels sprengen und einer wissenschaftlichen Abhandlung gleichkommen. Jeder Spieler, der sich intensiv mit seinem Instrument beschäftigt, kann, soweit er nicht auch schon von seinem Lehrer angeleitet wird, Töne nach oben oder unten hin korrigieren. Schon der Anfänger stellt fest, wie schwierig es ist, die Tonhöhe zu halten bzw. wie leicht man mit Lockern oder Spannen der Lippenmuskulatur (das heißt Verändern des Ansatzes) Töne willkürlich in ihrer Höhe hin und her pendeln lassen kann. Dies führt zunächst zu eher unangenehmen Tonschwankungen, kann jedoch für den geübten Spieler eines von mehreren Mitteln sein, Tonhöhen zu regulieren.

Die Intonationskorrektur bei stabilem Ansatz sollte meiner Meinung nach aber ebenso schon im frühen Instrumentalunterricht ein Thema sein; nicht nur allein aus gehörschulenden Aspekten. Die instrumentenspezifischen Mängel treten bei jedem Instrument unterschiedlich stark hervor. Dank der hervorragenden Arbeit und Experimentierfreudigkeit der Klarinettenbauer sind hier schon sehr große Fortschritte gemacht worden. Doch hängt ein sauberes Intonieren nicht allein vom »perfekten« Instrument ab. Ein wesentlicher Faktor ist hierbei noch die Beschaffenheit des Mundstücks sowie das Blattmaterial und nicht zuletzt der Instrumentalist selbst mit seinen persönlichen Eigenheiten und seinem Spielverhalten. Erschreckend unwissend und unflexibel scheinen immer jene Klarinettisten zu sein, die aufgrund eines besonderen Instruments »die Intonation« gepachtet zu haben scheinen. Instrumentenbeschaffenheit und Spieler sind wohl die wichtigsten Faktoren im Zusammenspiel um die Intonation.

Bei der einen Klarinette stimmt zum Beispiel das g¹ recht gut und das gis¹ schlecht, wohingegen der Pultnachbar ein Instrument bläst, welches sich genau umgekehrt verhält. Genauso gut könnte der eine Klarinettist mit dem Instrument des anderen neue Intonationsschwierigkeiten haben, bedingt durch einen anderen Ansatz o. Ä. Bleibt man beim notierten Ton g¹, so kann jeder Spieler selbst an seinem Instrument testen, wie sich dieser Ton in seiner Höhe verändern lässt. Allein die Tatsache, dass ein Forte-Spiel den Ton tiefer klingen lässt und ein Piano-Spiel ihn immens erhöht, zeigt doch schon, wie vorsichtig der Klarinettist mit der Intonation seines Instruments umgehen sollte. Spielt man das g¹ in normaler Mezzoforte-Lautstärke, legt hierbei die rechte Hand ganz auf die Löcher bzw. Klappen des Unterstücks, so stellt man auch hier sofort eine Tonhöhenveränderung nach unten bzw. eine Klangintensivierung des Tones fest. Für Spieler, deren Gehör diese feinen Veränderungen noch nicht feststellt, empfiehlt sich hier (nur zur Kontrolle) die Hinzunahme eines Stimmgeräts. Die Ergebnisse dieser »Abdeckübungen«

unter Hinzunahme der rechten Hand bzw. unterschiedlicher Grifflochkombinationen und Klappen bei den »kurzen Tönen« (f^1 bis b^1) verblüffen den Klarinettisten immer wieder.

Es ist ebenso möglich, nicht die gesamte rechte Hand aufzulegen, sondern nur einzelne Finger (zum Beispiel rechte Hand ohne Mittelfinger als Korrektur von a^1 nach unten). Diese Griffkorrekturen sollten aber von jedem auf seinem eigenen Instrument zunächst selbst erprobt werden und gelten keinesfalls als absolutes Muss. Ich empfehle jedem Klarinettisten, solche »Abdeckübungen« zu machen. Dies dient nicht nur vorrangig dem Kennenlernen der instrumentenspezifischen Eigenarten, sondern gibt interessante Aufschlüsse über mögliche individuelle Griffkorrekturen, welche zur Behebung von Intonationsmängeln insbesondere im Zusammenspiel mit anderen Klarinettisten stets vonnöten ist. Sehr interessant sind hierbei auch die Ausführungen des Klarinettisten Jack Brymer (siehe »Verwendete und weiterführende Literatur« auf Seite 93). Ein sehr interessantes Beispiel einer Unisono-Passage bzw. Oktaven-Passage des Klarinettenchores, die gespickt ist mit intonatorischen Kniffligkeiten, ist das Notenbeispiel 2 aus der »Sinfonie in B« von Paul Hindemith, 1. Satz.

Clar. solo
Clar. 1., 2.
Clar. 3.
Clar. Alto
Bass-Clar.

Notenbeispiel 2: »Sinfonie in B« von Paul Hindemith, 1. Satz, Takt 51 f.

Vergleich zu anderen Instrumenten

Sicher werden jetzt viele andere Instrumentalisten sagen, dass es auf ihren Instrumenten ebenso möglich ist, mittels eines flexiblen Ansatzes sowohl gewollt als auch unfreiwillig Töne in ihrer Höhe schwanken zu lassen. Für Flötisten bedeutet das Verändern des Anblaswinkels mit eine der wichtigsten Möglichkeiten der Tonkor-

rektur. Für Saxofonisten ist es ungleich schwieriger, mittels des Ansatzes eine konstante Schwingung aufrechtzuhalten etc. Doch diese Phänomene treten wohl bei den meisten Instrumenten auf. Es lässt sich nicht leugnen, dass die gesamte Tonskala dieser, besonders der in die Oktave überblasenden Instrumente weitaus ausgeglichener ist als die der Klarinette.

Die Klarinette weist vor allem bei den diversen Halbtonklappen und Löchern erhebliche Mängel in der Skala auf. Allein schon die Tatsache, dass die Klarinette ihre Grundstimmung bei steigender Temperatur immer weiter nach oben hin verändert, während andere Instrumente, wie zum Beispiel Flöten, sich geradezu gegenteilig verhalten, lässt hier doch enorme Schwierigkeiten im Zusammenspiel erkennen. Im Klarinettenchor können sich diese Intonationsmängel, da auch nicht jede Klarinette ihre Grundstimmung analog zur anderen verändert, »schneeballeffektmäßig« ausbreiten.

Um eine gleichmäßige Grundstimmung zu erhalten, sind natürlich mehrere Voraussetzungen wünschenswert. Ich möchte an dieser Stelle darauf hinweisen, dass einige Punkte, die ich hier anspreche, zunächst illusorisch sind, aber sicherlich für viele Grundprobleme einer soliden Grundstimmung innerhalb eines Klarinettenchores wünschenswert und hilfreich wären.

Intonation und Klang

Zunächst muss man annehmen, dass Klarinetten ein und desselben Fabrikats die gleiche Grundstimmung besitzen bzw. auch die gleichen Ausprägungen der Intonationsmängel aufweisen, bedingt von der Bauart durch einen entsprechenden Klarinettenbauer. Dies trifft nur in geringem Maße zu, ist aber sicherlich ein entscheidendes Kriterium bei der Auswahl der Instrumente für ein Orchester, zumal man den ausgewogenen und einheitlichen Gesamtklang des Klarinettenregisters als eine Voraussetzung für gute Intonation innerhalb dieses speziellen Registers mit einbezieht.

Der Zusammenhang zwischen Klang und Intonation ist auf den ersten Blick nicht leicht zu verstehen, wird aber bestimmt bei näherer Betrachtung unter psychologischem Aspekt des Zusammenspiels deutlich. Sicher zu intonieren ist verbunden mit der wohltuenden Integration des Einzelnen in den Gesamtklang des Klarinettenchores.

Stressfreies und ungezwungenes Musizieren öffnet viel leichter die Sinne für ein intensives Hineinhören in einen Klangapparat als das verkrampfte oder ängstliche, von möglichen zu begehenden Fehlern bestimmte Spiel. Diese klangliche Einbettung lässt ein entspanntes, lockeres Spiel zu, ohne unter dem Druck zu stehen, ständig Töne »irgendwie und irgendwohin drücken« zu müssen. Die Gewissheit einer soliden Grundintonation innerhalb des Klarinettenregisters gibt dem Spieler die Lockerheit, klangschön zu spielen, in die Gruppe hineinzuhören, sich gruppendienlich in den Gesamtklang einzufügen und Intonationskorrekturen vorzunehmen. Der Spieler wird nicht dazu verleitet, Korrekturen auszuführen, die darauf basieren, einfach lauter zu spielen, zu drücken und zu pressen und dabei eventuell schönen Klang einzubüßen. Ein weiterer Aspekt ist die klangliche Einheit, die durch Instrumente eines Fabrikats unter Umständen schneller und leichter zu erzielen ist, als wenn jeder Klarinettist ein anderes Instrument bläst, noch dazu mit erheblichen Qualitätsunterschieden.

Es gibt zudem auch recht unterschiedliche Klangvorstellungen, was den Klarinettenchor innerhalb eines Blasorchesters betrifft. Die Palette reicht hierbei von hell, offen und scharf bis hin zu dunkel und muffig etc. Über das Klangideal hat jeder Blasorchesterdirigent seine eigenen Vorstellungen und wird diese auch an seine Musiker weiterleiten.

Oftmals wird jedoch beim Musiker ein heller Klang unbewusst mit zu hoher Intonation gleichgesetzt, ebenso wie ein dunkler Klang mit zu tiefer Intonation einhergeht. Diese beiden Kriterien haben nun aber überhaupt nichts miteinander zu tun, gehen aber leider im klarinettistischen Bereich dahingehend nebeneinander her, dass dem Wunsch nach einem helleren Klang oftmals so entsprochen wird, dass Töne gepresst werden, enger und spitzer klingen und die Intonation zu hoch wird. Leider geschieht dies allzu häufig im überblasenen Register (c^2 bis h^2), welches doch ohnehin schon Glanz und Strahlkraft aufweist.

Die Intonationsschwierigkeiten in diesem Bereich beruhen häufig auf Mängeln der Atem- und Überblastechnik. Das Erzeugen dieser Töne und besonders der noch höheren Töne (c^3 bis g^3) erfordert eine fundierte und geübte Atemtechnik. Oftmals werden schon die tieferen »Überblastöne« mit zu festem Lippendruck geradezu aus dem Instrument »herausgepresst«, was ein lockeres Spiel bzw. Flexibilität zur Tonkorrektur selten zulässt. Der Klarinettenchor sollte sowohl im Forte-Spiel als auch im *piano* nicht farblos oder matt klingen. Dies führt oft zu einer enormen Einbuße an Tragfähigkeit des Klangs. Als größte Gruppe innerhalb des sinfonischen Blasorchesters gewinnt die Ausgewogenheit des Klangs und die solide Grundintonation des Klarinettenchores an Bedeutung für das gesamte Orchester.

Besetzungskriterien im Klarinettenchor

Ein weiterer Gesichtspunkt für eine ausgewogene Intonation innerhalb der Klarinettengruppe ist die Aufteilung des Klarinettenchores in hohe und tiefe Instrumente. In den meisten Orchestern gibt es zu wenig tiefe Klarinetten, das heißt Alt- und Bassklarinetten bzw. die dritten B-Klarinetten sind zu schwach besetzt. Hierbei ist anzumerken, dass das Verhältnis der Klarinettisten zu den Blechbläsern im idealen Fall nie 1:1 sein kann, da sich die Klangintensität bei mehreren Klarinettisten nicht unbedingt so verhält, dass zwei Klarinetten zum Beispiel doppelt so laut klingen wie eine Klarinette allein. Besonders im tiefen Tonbereich bedarf es einiger Spieler, um sich im Gesamtorchesterklang auch klangfarblich durchzusetzen (ohne Intonation durch unschön lautes Spiel einzubüßen). Häufig wird diese Klarinettenlage unwissenderweise durch das breite Mittellagenspektrum des Blasorchesters, zum Beispiel Hornregister, Tenorhornregister und besonders Saxofonregister, konstant zugedeckt. Eine dritte Klarinette hat hierbei kaum eine Chance, sich individuell einzubringen. Leider wird zudem die dritte B-Klarinettenstimme immer noch als »Abstellgleis« zur sicheren Verwahrung »schlechterer« Spieler missbraucht.

Diese Missachtung der dritten B-Klarinettenstimme führt jedoch häufig dazu, dass die Klarinette nur als hohes Diskant-Instrument zu hö-

ren ist und den hohen Klarinetten die intonatorische Orientierung nach unten abgeschnitten wird. Eine ausgewogene Intonation baut sich immer von unten nach oben auf. Ein solides Bass- und Mittelstimmengerüst erleichtert es allen hohen Stimmen, leichter zu intonieren. Je höher im Obertonbereich der Klarinette geblasen wird, desto schwieriger wird eine exakte Intonation. Es ist für hohe Stimmen immer leichter, sich nach unten hin intonatorisch zu orientieren. Das Spiel erfordert dann weniger Kraft, der Spieler stellt mit seinen hohen Tönen lediglich eine Erweiterung des Tonspektrums nach oben her. Es ist daher wünschenswert, dass besonders der Mittelbereich und Unterbau des Klarinettenchores zahlenmäßig leicht über den hohen Stimmen liegt.

Durch die unterschiedlichen Mensuren der einzelnen Mitglieder der Klarinettenfamilie ist es zudem möglich, dass jede Stimme fast immer in der für sie günstigen Lage spielen kann, was sich auch auf die Intonation positiv auswirkt. Der nach unten erweiterte Klang durch Alt- und Bassklarinetten gibt eine solide Grundlage für die Mittel- und Oberstimmen. Das Obertonspektrum aller Klarinetten erfährt in der Miteinbeziehung der kräftigen Mittellage von zweiter und dritter B-Klarinette Tragfähigkeit und individuellen Klang. Das bedeutet in der Praxis unter anderem, dass bei Unisono-Passagen des Klarinettenchores anzustreben ist, jene Stimmen zu verstärken, die in einer intonationssicheren Lage zu spielen haben. Die eventuell hinzutretenden Oktavparallelen benötigen keine große Zahl von Spielern, um ein ausgeglichenes Klangbild zu erzeugen. Die Mittellage trägt die Höhe mit; ein wunderschönes Phänomen (Notenbeispiel 3). Andererseits ist die hohe Lage dazu fähig, durch exakte, saubere Intonation auch die Mittellage, die vielleicht im gesamten Orchesterklang zu verschwinden droht, mit her-

Notenbeispiel 3: Schluss von »Ye Banks and Braes O'Bonnie Doon« von Percy A. Grainger (1. Klarinettte in B). Wenn alle 1. Klarinetten oktavieren, würde dies sicherlich zu einem »Intonationschaos« führen.

vorzuheben. Es bestehen Wechselwirkungen zwischen Höhe, Mitte und Tiefe im Klarinetten-chor, die oftmals überhört und unterschätzt werden.

Einstimmen

Doch was nutzen alle Ausführungen über Into-nation, wenn dem Zusammenspiel keine Auf-wärmphase bzw. Einstimmphase vorausgeht. Für viele Orchestermitglieder und leider auch Dirigenten wird die Einstimmphase zum not-wendigen »Übel« degradiert, zumal es oft zeit-raubend und schleppend vor sich geht. Doch ich bin der Ansicht, dass es eben schon mit dem Ein-spielen »richtig« losgeht. Das Orchester bzw. Register findet zueinander, sowohl klanglich als auch unter gruppendynamischem Aspekt. Das eigentliche Einstimmen im Klarinettenregister kann wie im Orchester auch auf unterschied-lichste Weise vorgenommen werden.

Ich gehe zunächst davon aus, dass jeder Spieler sein Instrument individuell warmgeblasen hat. Dies benötigt relativ wenig Zeit, welche aber un-bedingt jedem zugestanden werden sollte. Im Anschluss daran kann zur ersten Intonations-findung ein kleines Ensemblestück mit eher ruhigem oder moderatem Charakter dienlich sein. Jeder Spieler kann hierbei schon Grund-tendenzen und Abweichungen seiner eigenen Stimmung zur Gesamtintonation feststellen und korrigieren.

Stimmtonvorspieler

Die Methode des »Stimmtonvorspielers« halte ich nur bedingt für sinnvoll. Sie rührt aus der Praxis der Sinfonieorchester her, wo die Oboe zu Beginn der Probe bzw. des Konzertauftritts den Stimmton a[1] an den Konzertmeister weitergibt. Im Blasorchesterbereich gibt in der Regel der Konzertmeister den Stimmton, meist klingend b[1], zunächst an das Klarinettenregister und dann an die anderen Stimmführer weiter. Doch ist das Einstimmen vor einer Probe doch ebenso wich-tig und der Dirigent sollte sich hier die Zeit nehmen, dem Musiker Hilfestellung im Hören und Intonieren zu geben. Bei der Methode des »Stimmtonvorspielers« gibt ein Klarinettist, der vom Dirigenten bestimmt wird, einen Stimmton weiter. Das heißt, er spielt den Ton vor und die anderen Klarinettisten repetieren diesen Ton immer im Wechsel mit dem Vorspieler reihum. Beim letzten »Tonrepetitor« hat sich der eigent-liche Stimmton des Vorspielers oft längst ver-ändert bzw. es ist nicht gewährleistet, dass der Stimmton immer genau gleich bleibt. Für den »Stimmtonvorspieler« ist hierbei ein Stimmge-rät zur Kontrolle sehr von Vorteil. Falls bei dieser Methode kein Stimmgerät vorhanden ist und der Dirigent einen Klarinettisten aussucht, des-sen Stimmton zum Maß für die anderen wird, so sollte unbedingt vermieden werden, dass der Spieler mit der höchsten Grundintonation den Stimmton angibt. Zu bevorzugen ist hier dann ein Stimmton, der sich im unteren Bereich der Mittelschwingung aller Klarinetten befindet.

Als gute Intonationshöhe, auch im Hinblick auf das Verhalten der temperierenden Klarinetten während des Spiels, haben sich die Hertz-Zahlen 442 bzw. 443 für das a^1 erwiesen. Hierbei werden die Meinungen sicher unterschiedlicher Art sein, was aber individuell immer wieder vom jeweiligen Dirigenten und seinen Klangvorstellungen abhängt.

Bei der Einstimmmethode mit »Stimmtonvorspieler« sollte darauf geachtet werden, dass der Vorspieler und Nachspieler nicht gleichzeitig spielen. Der Nachspieler spielt sofort in annähernd gleicher Klangfülle und Lautstärke, wenn der Vorspieler seinen Ton beendet. Man kann hierbei viel deutlicher die Abweichung vom vorhergehenden Ton hören. Beim gleichzeitigen Spiel tritt sofort die Mischfähigkeit des Klarinettenklangs in Kraft und leichte Differenzen werden vom Gehör toleriert und als Wohlklang identifiziert, obgleich dem nicht so ist. Bei Hinzunahme eines Stimmgeräts kann die Funktion des »Stimmtonvorspielers« durchaus von zwei Klarinettisten, die die Kontrolle durch das Stimmgerät haben, ausgeübt werden. Ferner sollte der Dirigent, der das Einstimmen unbedingt mitverfolgen und hilfreich bei der Feststellung von Tonabweichungen sein sollte, ebenso über ein Stimmgerät oder ein sehr gut geschultes Gehör verfügen.

Tonketten

Bei der sogenannten Weitergabe eines Stimmtons wird jedoch nur dieser eine Ton der Klarinette »intoniert«, was viele Instrumentalisten leider in der Sicherheit wiegt, das Instrument »stimme« ja nun. Er sollte aber ebenso Aufschluss auf den intonatorischen Stellenwert von etwaigen Problemtönen der Klarinette erhalten. Es gibt hier die Methode, Tonketten zu spielen, welche sich an einem Liegeton orientieren.

Beispiel: Ist der Stimmton, notiert c^2, von allen Klarinettisten abgenommen worden, so kann nunmehr jeder Klarinettist folgende Tonfolge »dazu« spielen (Notenbeispiel 4). Auf diese Weise können Quarte, Quinte und Oktave kontrolliert werden bzw. es können Griffkorrekturen oder eine Korrektur der Grundstimmung im Hinblick auf diese Problemtöne vorgenommen werden. Die notierten Töne f^1 und g^1 verhalten sich zum Beispiel intonationsmäßig sehr unterschiedlich und bedürfen in der Regel immer einer Griffkorrektur der rechten Hand. Das notierte c^1 ist in seiner Notation recht ausgeglichen, kann aber auch zu hoch sein, wobei die Hinzunahme der e-Klappe unter Umständen oft schon als Griffkorrektur ausreicht.

Notenbeispiel 4

Eine weitere Tonkette ist eine Reihe mit den Tönen: notiert c^2, g^2, fis^2, h und c^1 mit oder ohne c^2 als Liegeton (Notenbeispiel 5). Es sollten bei dieser Methode immer lange Töne (das heißt viele Grifflöcher geschlossen) mit kurzen Tönen (wenig Grifflöcher geschlossen bzw. offene Klappen am Oberstück) miteinander kombiniert und verglichen werden.

Tonskalen und Klangstudien

Eine weitere interessante Intonationsübung (unabhängig von vielen guten Warm-ups, die im Blasmusikbereich editiert sind) ist das Spiel von Skalen in Terzabständen bzw. *unisono* oder in Oktaven. Hierbei kann bei ausgehaltenen Klängen der einzelne Klarinettist hören, welche

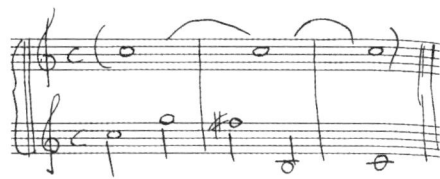

Notenbeispiel 5

Funktion sein eigener Ton innerhalb des Klangs einnimmt und dahingehend sein Gehör schulen und Griffkorrekturen vornehmen. Solche Übungen sind für das spätere Orchesterzusammenspiel sehr wichtig und erleichtern dort oft mühseliges Auseinanderdividieren von Klängen. Bei dieser Methode können schwierige Akkorde, die für das Klarinettenregister ungewöhnlich sind und nicht in das Spektrum der »angenehmen« Tonskalen (zum Beispiel notiert C-Dur, G-Dur oder F-Dur) fallen, durchgehört und schon im Vorfeld der Gesamtprobe intoniert und geprobt werden (Notenbeispiel 6).

Im Großen und Ganzen stellt die Intonation innerhalb des Klarinettenchores immer wieder neue Probleme und Lösungsmöglichkeiten vor. Ein ausgewogener Klang, spielerische Fähigkeiten (nicht allein technischer Art) und die Bereitschaft zum Hineinhören in die Gruppe erleichtern Aufbau und weitgehenden Erhalt einer soliden Grundintonation. Aufgabe des Dirigenten sollte jedoch immer wieder sein, sowohl auf Intonationsdefizite hinzuweisen und sie versuchen zu beheben, als auch andererseits den Spieler zu entspanntem, lockerem Spiel zu ermuntern. Das pedantische Insistieren auf bestimmten Intonationskorrekturen vor dem

gesamten Orchester bringt oft genau den gegenteiligen Effekt und verunsichert bzw. lässt den Instrumentalisten sich noch weiter verkrampfen und verspannen. Oft bringt schon das zahlenmäßige »Ausdünnen« einer Passage die Lösung für die Intonationstrübung eines Einzeltons.

Im umgekehrten Fall kann (wie oben beschrieben) die Hinzunahme von Spielern zu einer Intonationsstabilität führen (Verstärkung der unteren Oktave in einer Oktavenkantilene). Meist sind in hohen Holzkantilenen die ersten Klarinettisten im *unisono* mit Es-Klarinette und/oder Flöten, sodass hier große Intonationsprobleme auftauchen, welche weitestgehend damit abgemildert werden, dass einige erste Klarinetten die Kantilene nach unten oktavieren und somit *unisono* mit zweiter und dritter B-Klarinette spielen.

In fast jedem sinfonischen Blasorchesterwerk wird der Dirigent Passagen finden, die intonationstechnisch schwierig und gewiss nicht leicht zu bewältigen sind. Doch jeder Dirigent, der die spezifischen Intonationsmängel der einzelnen Instrumente als einzelne und in ihrem Gruppenverhalten kennt, kann Tipps und Anregungen an seine Musiker weitergeben, diese sinnvoll zu korrigieren.

Thomas Krause

Erschienen in Clarino 9/1994

I B♭ CLARINET

II & III CLARINETS

Notenbeispiel 6: Auszug aus der »Emperata Overture« von Claude T. Smith (1. bis 3. Klarinette in B)

Das Überblasen auf der Klarinette

Unterschiedliche Ansätze in Schulwerken und Unterricht

Wenn man sich in dieser Form mit dem Thema »Überblasen« auf der Klarinette beschäftigt, stellt sich zunächst die Frage nach der Funktionalität eines solchen Artikels. Es besteht zwar die Möglichkeit, dieses Thema unter einem rein physikalischen Gesichtspunkt zu sehen, aber mein Interesse gilt eher dem instrumentalpädagogischen Aspekt und dem damit verbundenen Erfahrungsaustausch. Ich möchte unter anderem zeigen, wie unterschiedlich mit dem Thema »Überblasen« in Schulwerken und im Unterricht umgegangen wird. Dass dabei auch ein minimaler Anteil an physikalischen Aspekten enthalten ist, dient lediglich der Verständlichkeit.

Die Klarinette unterscheidet sich im Wesentlichen von anderen Holzblasinstrumenten durch ihre klangliche Flexibilität und dem damit einhergehenden großen Tonumfang. Welches andere Instrument im Blasorchester wird so häufig im nahezu gesamten Tonspektrum genutzt? Sowohl der fundamentale, erdige Klang der Tiefe als auch die klare Mittellage und nicht selten die leicht schrille höchste Lage finden das Gefallen der Komponisten im Erzeugen bestimmter Klangfarben. Auch vermag die Klarinette auf ideale Weise sich mit anderen Instrumenten zu mischen oder diese zu begleiten.

Doch woher rühren die Wendigkeit und der große Tonumfang dieses Instruments? Bewundern wir nicht oft die perlenden Arpeggien über große Tonräume und das Lautstärkespektrum, welches vom kaum hörbaren *pianissimo* bis zum schreienden *fortissimo* reicht? Während beispielsweise Flöte, Oboe oder Saxofon ihren Tonraum durch Überblasen in die Oktave erweitern, überbläst die Klarinette in die Duodezime (Oktave plus Quinte).

Bedingt durch die teils zylindrische, teils konische Bohrung sowie die Anordnung der Klappe für das b^1, welche auch als »Überblasklappe« bezeichnet wird, erhalten wir das Phänomen, dass beispielsweise der gegriffene Ton g durch Hinzunahme der »Überblasklappe« nicht zu g^1, sondern zu d^2 wird (siehe Notenbeispiel 1).

Was dies für den Klarinettisten im Vergleich zum Saxofonisten bedeutet, möchte ich kurz erläutern. Wir müssen davon ausgehen, dass jeder Ton, den wir auf unserem Instrument erzeugen, durch eine Schwingungssäule entsprechend seiner Frequenz zum Klingen kommt. Wir müssen also jedem Ton durch unseren ins Instrument geleiteten Luftstrom eine Basis geben, welche gewährleistet, dass der Ton konstant weiterschwingen, das heißt klingen kann. Vergessen wir dieses Fundament, bricht der Ton ab. Je höher die Schwingungsfrequenz des Tons ist, desto schwieriger, aber auch wichtiger ist es, die Schwingung mittels der inneren Luftsäule zu halten. Bei Instrumenten, welche in die Oktave überblasen, ist hierbei im Prinzip eine Verdopplung der Frequenz zu »verarbeiten«; bei der Klarinette kommt noch die Addition der zusätzlichen Quintfrequenz hinzu. Die somit gewonnene Erweiterung des Tonumfangs durch das Überblasen in die Duodezime birgt eben nicht nur Gewinn, sondern enthält eine für den Instrumentalschüler oft schwer zu meisternde Hürde. Erwähnt werden soll hier, dass, bedingt durch die Bauweise des Instruments, ein Bereich im Tonspektrum entstanden ist, welcher viele intonatorische und technische Probleme mit sich bringt (zum Beispiel die kurzen Töne gis^1, a^1 oder b^1 sowie der Übergang zum h^1).

überblasener Ton im Clarinregister

gegriffener Ton im Chalumeauregister

Notenbeispiel 1

Das Thema »Überblasen« in Schulwerken

Bei der Betrachtung dieses Bereichs wurde mir zunächst klar, dass dieses Thema lange Zeit in der Klarinettenmethodik keinen Platz hatte. Für viele Pädagogen galt lange wohl eher das Motto »Technik um jeden Preis und ohne Rücksicht auf ein langsames, Schritt für Schritt vorgehendes Arbeiten«. Es wurde keinerlei Wert auf methodisch-didaktischen Aufbau eines Schulwerks gelegt. Ebenso wenig versuchte man, Schwierigkeiten systematisch anzugehen. Allein das unermüdliche Üben stupider Arpeggien oder Tonleitern stellte den Erfolg anheim.

Nun muss gesagt werden, dass Anfänger auf der Klarinette heute weitaus jünger sind und dass sich die heutigen Instrumentalpädagogen weitaus größeren Ansprüchen und Schwierigkeiten der Lernenden gegenübersehen. Viele sollen/ wollen schon mit acht bis neun Jahren beginnen. Ihre körperlichen Voraussetzungen entsprechen dabei nicht den Vorgaben, die durch das Instrument bedingt sind. Hierbei stellt die Größe der Hand ein wichtiges Kriterium dar, ebenso die Stellung des Kiefers und der Zähne. Was die Klarinette im Verhältnis zur Körpergröße des Kindes betrifft, so sehe ich in der Verwendung der C-Klarinette mit B-Klarinettenmundstück eine große Zukunft. Hier ist möglich, was im Streicherbereich schon lange praktiziert wird: Man kann dem Schüler einen frühen Zugang zu seinem Wunschinstrument Klarinette verschaffen, ohne dass er durch seine körperlichen Voraussetzungen gehandicapt wäre und eventuell den Spaß am Instrument verliert.

Es stellt sich zunächst die Frage, wann denn mit dem Überblasen begonnen werden soll. Zunächst halte ich es für außerordentlich wichtig, dass der Schüler im tiefen Bereich seines Instruments die nötige Klangvorstellung und Technik entwickelt hat, bevor er in die höhere Lage wechselt. Leider ist in den Schulwerken für das »Sich-setzen-Lassen« eines neu gelernten Stoffes selten genügend Übematerial vorhanden, sodass der Stoff schneller voranschreitet, als man es als Lehrer eigentlich möchte. Hier sollte zusätzliches Übematerial verwendet werden, damit der Schüler die Chance erhält, erlernte Dinge zu festigen. Wann der Wechsel in das mittlere Register (Clarinlage) geschieht, sollte der Lehrer entscheiden.

Es ist natürlich ideal, wenn man den Schüler von der Notwendigkeit der Klangfindung in der tiefen Lage überzeugen kann und durch geeignete Literatur ihn auch möglichst lange im tiefen Bereich spielen lässt. Andererseits steht er im Wettbewerb mit anderen Schülern, die »schon überblasen können«, oder er entdeckt das Überblasen für sich selbst als eine problemlose Sache.

Häufig erscheint dem Schüler die Notwendigkeit des Überblasen-Könnens viel früher als dem Lehrer, der doch lieber noch etwas weiter im Chalumeau-Bereich (e bis b¹) gearbeitet hätte. Es erfordert seitens des Lehrers viel Einfühlungsvermögen, hier den richtigen Zeitpunkt für den Schüler zu erkennen und ihn sinnvoll zu fördern. Lässt man den Schüler zu lange in der Chalumeau-Lage spielen und vermittelt ihm beständig den Wohlklang der tiefen Lage, dann besteht die Gefahr, dass der Schüler gar nicht in die hohe Lage will oder im schlimmsten Fall gar eine »Höhenangst« entwickelt. Dies wäre ebenso fatal wie der zu frühe Wechsel in die hohe Lage, ohne zuvor eine vernünftige Atemtechnik aufgebaut zu haben, die ja wesentlich für den Übergang in die hohe Lage ist.

Graduelle Unterschiede

Während in früheren Schulwerken der Übergang (oder auch der sogenannte Duodezimbruch) keinerlei Vorbereitung oder Übephase fand, gehen modernere Instrumentalpädagogen sehr behutsam mit dem Thema um. Im Prinzip wird das Überblasen neuerdings immer auf dieselbe Art und Weise eingeführt, wobei doch kleine Unterschiede vorhanden sind.

Die Wahl der ersten Töne, welche überblasen werden

Ich halte es für sinnvoll, beim Erlernen des Überblasens auf dieselbe Art und Weise vorzugehen wie bei den ersten Tönen der Chalumeau-Lage, das heißt mit viel Gefühl für die Voraussetzungen des Schülers. Der Griff stellt für den Schüler wohl keine Schwierigkeiten dar. Er kann diesen Ton gut greifen, ohne dass irgendwelche Finger wieder ihre Position auf dem Tonloch verlassen und der Ton instabil wird. Ich nehme den Griff für das c¹ als Ausgangsgriff für das Überblasen.

In einigen Schulen wird zunächst das a zum e² überblasen oder das g zum d², wobei ich dazu neige, zunächst das g² anzuvisieren und dann (wie beim Lernen der tiefen Töne h bis f/e) die Finger der rechten Hand hinzuzunehmen. Es ist hierbei günstiger, mit der Skala g², fis², e², d² zu arbeiten, als mit f² in Bezug auf die lockere und sichere Fingerposition. Das verwendete Schulmaterial und der vorangegangene methodische Aufbau des Schulwerks spielen hier natürlich eine wichtige Rolle (Notenbeispiel 2).

Notenbeispiel 2: gegriffener Ton im Chalumeauregister

Die Kombination der Töne von g^2 abwärts bis d^2 ist meiner Meinung nach für den Schüler sehr günstig, zumal hier nicht die kleinen Finger der beiden Hände störend auf die Position der anderen Finger auf den Tonlöchern wirken können. Was häufig schon in der Chalumeau-Lage zu Verkrampfungen der Hände (besonders der rechten Hand) führen kann, wirkt sich im überblasenen Bereich natürlich weit schlimmer aus. Nicht gut abgedeckte Tonlöcher, bedingt durch eine verkrampfte Haltung oder noch zu kleine Finger, machen es oft schwierig, wenn nicht gar unmöglich, die überblasenen Töne auf lockere Art zum Klingen zu bringen. »Lockere Art« bezieht sich hier aber lediglich auf die unverkrampfte Haltung der Hände und nicht auf die Anblastechnik.

Bei der Anblastechnik ist darauf zu achten, dass der Schüler gleich zu Beginn lernt, beim Überblasvorgang den Anblasdruck etwas zu verstärken, ohne den Ton zu pressen. Der überblasene Ton sollte genauso weich und frei klingen wie der tiefe Ton. Der Anblasdruck dient lediglich der Ausbalancierung der Schwingung und der Konstanthaltung der höheren Frequenz.

Der oft noch unregelmäßig kontrollierte Luftstrom beim Überblasen führt leicht dazu, dass der Druck auf die Lippen seitlich des Mundstücks zu groß ist und dass deshalb viel Seitenluft entweichen kann. Hierzu ist eine Stabilisierung der Lippenspannung erforderlich. Dies verlangt vom Schüler eine für ihn noch ungewohnte Kraftanstrengung, welche aber unbedingt durch eine verstärkte Förderung der Atemtechnik mit bewältigt werden sollte und nicht durch angespanntes Pressen.

Die Intensität des neuen Übestoffs

Beim ersten Überblasen halte ich es für sinnvoller, den Wechsel vom tiefen Chalumeau-Ton hin zum hohen Clarin-Ton im *legato* vorzunehmen (lediglich Hinzunahme der Überblasklappe und leichte Verstärkung des Anblasdrucks). Auch das Aushalten der hohen Töne halte ich für sehr wichtig, denn der Schüler entwickelt leichter ein Gefühl für den Klang der hohen Töne und den dafür erforderlichen Blasdruck, wenn er die Töne klingen lässt und nicht im Schnellverfahren über sie hinwegbläst. Erst dann sollte der Anstoß des hohen Tons deutlich geübt werden. Darüber hinaus muss der Schüler die Möglichkeit besitzen, mit den neuen hohen Tönen und den damit verbundenen Problemen langsam vertraut zu werden. Er sollte es mit dem Spielen in der hohen Lage zunächst nicht übertreiben. Hierbei hilft die gezielte Abwechslung von Stücken in hoher und tiefer Lage.

Einbettung des neuen Tonbereichs in das zuvor Gelernte

Um dem Schüler den Umgang mit der überblasenen Lage leichter zu gestalten, gibt es unter anderem die Möglichkeit der Wiederholung von Stücken aus dem Anfangsbereich. Die Stücke sind dem Schüler von der Melodie her bekannt, die technischen Schwierigkeiten (zum Beispiel rhythmischer Art) hat er meist schon bewältigt und er kann sich der neuen Problematik in Form

Notenbeispiel 3

von Atemtechnik und Klang in der hohen Lage widmen (Notenbeispiel 3). Man sollte jedoch darauf achten, dass zunächst Stücke im *legato* verwendet werden, da der Zungenstoß in der hohen Lage wiederum eine neue Schwierigkeit in sich birgt. Solange der Schüler nicht in der Lage ist, einen überblasenen Ton sauber anzustoßen (in der Einzelrepetition), wird er nicht mehrere Staccato-Töne hintereinander spielen können, ohne dass der von vielen so gefürchtete Unterton dem wirklich überblasenen

Thinking

Learning to read the new notes will be easier if you think of D on the fourth line as a pivot note - or "home base".

America

The Sailboat

London Bridge

Notenbeispiel 4

Ton gleich einem kurzen Vorschlag vorwegeilt. Das saubere *staccato* in der überblasenen Lage setzt eine gute Atemtechnik voraus und die Fähigkeit, die erforderliche unterstützende Luftsäule für die Töne konstant aufrechtzuhalten.

Die theoretische Umsetzung (Noten lernen)

Wenn ich zwei Abschnitte zuvor dafür plädiert habe, dem Schüler abwechselnd Stücke in hoher und tiefer Lage zum Üben zu geben, so verbirgt sich dahinter nicht nur die Intention des abwechslungsreichen Übens, ohne den Schüler mit der neu hinzugekommenen Schwierigkeit gleich zu überfordern. Im Laufe meiner pädagogischen Tätigkeit stellte sich oft heraus, dass Schüler, die sich mit den Überblastönen beschäftigen und vermehrt in dieser Lage spielen, die tiefen Töne schlichtweg vergessen. Daher ist es unbedingt nötig, das gesamte Spektrum (auch die tiefe

Lage) wieder mit einzubeziehen, sowohl in praktischer Anwendung als auch in der Theorie (Notenbeispiel 4).

Ich rate ferner davon ab, dem Schüler beispielsweise das e^2 als »überblasenes a« zu erklären, oder immer wieder auf die »Griffverwandtschaft« hinzuweisen. Er wird den Namen »e^2« unter Umständen nicht lernen und immer in der Analogie mit tiefem a und e Schwierigkeiten haben.

Der Schüler muss die überblasenen Töne mit richtigem Namen lernen; die Griffverwandtschaft ist hierbei nur als technische Verwandtschaft zu sehen. Jeder Schüler freut sich, wenn er die Griffbesonderheiten, die er in der tiefen Lage gelernt hat, auch im überblasenen Bereich anwenden kann. So sollte er beispielsweise die Übertragbarkeit von Gabel- und 4er-Griff bei b und f^2 selbst entdecken können und für sich nutzen.

Der »Übergangsbereich«

Wenn der Schüler sich den Bereich g^2 bis d^2 als überblasene Töne erarbeitet hat, kann der Bereich weiter nach unten oder nach oben erschlossen werden. Es bietet sich zunächst an, nach unten zum c^2 als überblasenes f weiterzugehen, sodass man innerhalb der F-Dur-Skala vom f bis zum f^2 eine komplette Tonleiter über zwei Oktaven spielen kann, was für den Schüler in der Regel eine große Motivation ist. Beim Üben dieser Tonkette lernt er auch, mit der Schwierigkeit des Übergangs vom b^1 zum c^2 umzugehen. Dieser Übergang ist häufig leichter zu bewerkstelligen, als der Übergang von a^1 zu h^1. In einigen Schulwerken stehen deshalb gute Übungsstücke und Lieder in F-Dur, sodass der Schüler das h^1 noch nicht spielen muss.

Es ist jedoch ein Fehler, anzunehmen, dass man diesen Ton möglichst lange hinausschieben muss. Ich denke, dass jeder Schüler, der das e sauber greifen und spielen kann, keine Probleme mit dem h^1 haben dürfte. Nur ist es eben eine Tatsache, dass Griffe wie h^1 oder cis^2, bei welchen der linke kleine Finger beteiligt ist, den Schülern Unannehmlichkeiten bereiten können. Viele Verfasser von Schulwerken versuchen daher, solche Töne relativ spät einzuführen. Diese äußerst sinnvolle Absicht wird leider häufig durch nicht entsprechendes unterrichtsbegleitendes Studienmaterial untergraben. Doch ist der Zeitraum vom ersten Überblasen bis zum vollständigen Schließen des Tonraums der Klarinette dann doch relativ klein, sodass auch hier mit Übergangslösungen (umgeschriebene Stimmen) gearbeitet werden kann. Sobald sich die mittlere Lage (bis a^2/h^2) stabilisiert hat, ist es möglich, in die hohe Lage (ab c^3) zu gehen. Das c^3 stellt häufig noch einen »Knackpunkt« beim Übergang in die dreigestrichene Oktave dar. Hier bietet das Böhmsystem im Vergleich zum

deutschen System dem Schüler eine kleine Erleichterung, da das c^3 noch analog in der Überblasreihe des Chalumeau-Registers steht. Es erscheint als das überblasene f^1. Beim deutschen System muss jedoch vermieden werden, dass das c^3 als Überblaston von f^1 gegriffen wird, da es sich hier nur um einen Hilfs- bzw. Trillergriff handelt.

Leider ist oft mangelnde Atemtechnik der Grund dafür. Sobald diese letzte Hürde geschafft ist, stellen sich bei den folgenden Tönen nur noch grifftechnische Probleme oder solche der Klangvorstellung ein. Mit einer gründlichen Vorbereitung auf das »Überblasen an sich« wird jedoch ein wichtiger Grundstein für die Bewältigung des gesamten oberen Tonbereichs der Klarinette gelegt. Außer auf eigene Erfahrungen habe ich in meinen Ausführungen auch auf die vieler Kolleginnen und Kollegen zurückgegriffen. Für jeden Klarinettenpädagogen empfiehlt es sich, umfangreiches Schulmaterial zu sichten, auszuprobieren und eigene Ideen zu den jeweiligen Themen zu entwickeln. Ich habe zum Thema »Überblasen« diverse Schulen betrachtet und bin zu dem erfreulichen Schluss gekommen, dass sich die Verfasser dieser Schulwerke zunehmend Gedanken zum Thema »Überblasen« gemacht haben. Es gibt mehrere Ansätze, welche jedoch tendenziell in dieselbe Richtung gehen. Generell geht es um einen kindgerechten Umgang mit klarinettenspezifischen Schwierigkeiten, ohne den fatalen Fehler zu machen, darin ein Problem zu sehen.

Thomas Krause

Erschienen in Clarino 6/1995

Staccato und große Intervallsprünge

Schwierige Orchesterstellen für Klarinette

Der Klarinette fallen in der Blasorchesterlite-
ratur sehr oft technisch schwierige Stellen zu.
Deshalb ist beim Nachwuchs auf eine fundierte Ausbildung der jungen Klarinettisten zu
achten. Auf einen guten Klang, eine reine Intonation und solide Technik ist großer Wert zu
legen. Es ist dafür zu sorgen, dass die Schüler
die Möglichkeit des Ensemblespiels haben. Der
Dirigent darf bei der Stückauswahl die Leis-
tungsfähigkeit seiner Spieler nicht überfordern.

Meine Schüler spielen so bald wie möglich im
Duo, Trio, Quartett, Quintett bis hin zum Klarinettenchor. Schon bei sehr einfachen Stücken
lernen sie selbstständig zu spielen, bemerken
ihre Fehler und verbessern diese. Mit erprobten
Klarinettenschulen, Etüden, Tonleiterstudien
und Konzertliteratur wird die Basis für eine fundierte Technik und Entwicklung der Musikalität
gewährleistet. Eine gute Intonation, flexibles
Musizieren und Gespür für Phrasierung resul-
tiert aus dem Ensemblespiel. Schüler mit einer
solchen Ausbildung und Musiziererfahrung sind
Stützen im Orchester.

Ich habe eine Anzahl »schwieriger Stellen« aus-
gesucht, wenn auch dies nur ein kleiner Auszug
aus dem unerschöpflichen Repertoire des Blasorchesters ist. Meinen Kollegen aus dem Diri-
gentenorchester der Bundesakademie Trossin-
gen, Werner Buchmann, Markus Frieß und Rai-
ner Mäder, danke ich für ihre Vorschläge.
Ebenfalls meinen Kindern Melanie und Stefan
für Rat und Mitarbeit.

Was sind schwierige Stellen? Viele Stellen erscheinen nur auf den ersten Blick schwierig,
denn Läufe in einer bestimmten Tonart, Drei-
klangsbrechungen, Intervallfolgen usw. findet
man in seiner Klarinettenschule, in »Täglichen
Studien« oder in Etüden. Oft und oft geübt, ge-

hören sie zum Hand-
werkszeug des Klari-
nettisten.

Notenbeispiel 1: »Florentiner Marsch« von Julius Fučík

Selbst die schwieri-
gen Stellen in Julius Fučíks »Marinarella« oder in
der »Leichten Kavallerie« von Franz von Suppé
lassen sich leicht bewältigen, wenn man seine
Des-Dur- und b-Moll-Tonleitern geübt hat. Was
also sind schwierige Stellen?

Staccato-Stellen

Ein schnelles, lockeres *staccato* ist auf der Klarinette schwierig zu realisieren, und die meisten
Klarinettisten haben Probleme damit. Man asso-
ziiert mit »Stoß« zustoßen, und beim *staccato* ist
es eben ein lockeres »Freigeben« des Atems. Die
Zunge wirkt als Ventil. Bei aufeinanderfolgen-
den Staccato-Tönen unterbricht die Zunge lediglich den Atemstrom. Wichtig ist, dass die Zunge
locker bleibt. Das Zurückziehen der Zunge ist zu
vermeiden. Nur die Zungenspitze bewegt sich.
Beim Üben beginne man, aus einem Halteton
heraus mehrere Einzeltöne anzuschließen; zunächst langsam, dann immer schneller. Nur eine
gute Atemführung lässt die Staccato-Töne mit
der Zeit »perlen«. Bei den Tonleiterstudien im
staccato baue man Bindungen oder längere
Noten ein, um die Zunge zwischendurch zu ent-
spannen. Größere Intervalle im *staccato* sind
noch eine Schwierigkeitssteigerung.

Man übe in den Tonleiterstudien Terzen bis Oktaven. Mit der »Doppelzunge« ist ein schnelleres
staccato zu erreichen als mit dem einfachen
Stoß. Man sollte deshalb auf jeden Fall versuchen, ob einem das leichtfällt.

Staccato-Stellen aus der Literatur

• Julius Fučík: »Florentiner Marsch«, Bosworth,
  Schwierigkeitsgrad 3
Die Sechzehntel dürfen nicht spitz klingen – die
einzelnen Töne also nicht zu kurz spielen. Leise
beginnen, *crescendo* auf die 1 im zweiten Takt
(Notenbeispiel 1).

• Leroy Anderson: »The Irish Washerwoman«,
  Verlag Mills Music, Schwierigkeitsgrad 3
Zunächst die Hauptnoten üben (Noten auf dem
Schlag), alle anderen Achtel leicht spielen – vor
allem die Tonwiederholungen. Zur Erholung der
Zunge, in Absprache mit dem Partner, zum Bei-
spiel die Achtel 5 und 6 im 3. vollen Takt weglas-
sen (Notenbeispiel 2).

• Edward Elgar, bearb. Paul Sterrett: »Pomp and
  Circumstance op. 39 No. 1«, Verlag Carl Fischer,
  Schwierigkeitsgrad 4

Notenbeispiel 2: »The Irish Washerwoman« von Leroy Anderson

Notenbeispiel 3: »Pomp and Circumstance No. 1« von Edward Elgar, Arr. Paul Sterrett

Bei dieser Stelle wird man Bindungen einfügen müssen (zum Beispiel 2 Noten gebunden, 2 *staccato;* Notenbeispiel 3).

Hohe Töne

Erst wenn sich nach längerem Spiel im Chalumeau-Register der Ansatz stabilisiert hat, darf der Schüler »überblasen«. Den Tonumfang erweitert man systematisch nach oben. Der Fortschritt ist abhängig von der Atemführung und vom Ansatz. Der Klang muss stets voll und warm, die Intonation rein sein!

Verbindung des 1. mit dem 2. Register

also der Übergang von a^1 über b^1 zu h^1 oder c^2. Dieser Übergang muss so geübt werden, dass man keinen Bruch hören kann. Das Auflegen der Finger der rechten Hand vor dem Registerwechsel erleichtert einen glatten Übergang. In der Koch-Schule finden sich viele Übungen dafür.

Große Intervalle

In Bärmanns »Täglichen Studien« finden sich Übungen in Terzen, Quarten bis zu Oktaven in allen Tonarten und über den gesamten Tonumfang.

Tonfolgen außerhalb gewohnter Tonleitern

Solche finden sich in der Koch-Schule und in den Etüden von Uhl. Diese Verbindungen sind einfach schwierig, weil sie keinen gewohnten Mustern entsprechen. Sie müssen Stelle für Stelle geübt werden. Man muss im langsamen Tempo beginnen, damit keine Fehler vorkommen.

Oft treten diese aufgeführten Probleme gleichzeitig, manchmal sogar noch vermischt mit rhythmischen Schwierigkeiten auf und übertreffen dann im Schwierigkeitsgrad das Gesamtwerk erheblich.

Am Beispiel einer Stelle aus Paul Kühmstedts »Comedietta«, Verlag Helbling, Schwierigkeitsgrad 4, 1. Satz (Notenbeispiel 4), möchte ich eine ausführliche Übeanweisung geben. Folgende Schwierigkeiten birgt diese Stelle: Kombination hoher Töne, *staccato*, Vorschläge, Rhythmus, dabei soll diese Phrase im flotten Tempo flüssig und mit Leichtigkeit gespielt werden. Zunächst teile man die Phrase in sinnvolle Abschnitte (Einzeltakte) auf, die separat voneinander geübt werden. Die Akzente dürfen nicht überbewertet werden, da sonst der Fluss behindert wird. Die

Notenbeispiel 4: »Comedietta« von Paul Kühmstedt (1. Satz)

Notenbeispiel 5: »Comedietta« von Paul Kühmstedt (3. Satz)

Notenbeispiel 6: »Clarinet Candy« von Leroy Anderson, Arr. Siegfried Rundel

Schwerpunkte (Zählzeit 3 in den Takten 1 und 2 und 1 im 4. Takt) müssen beachtet werden. Bei den Vorschlägen müssen alle Töne hörbar sein. In Takt 1 übe man zunächst die Tonfolge a² bis d³, langsam beginnend. Der Registerwechsel wird problemlos, wenn man die Tonfolge im Kreis a²-d³-a²... übt.

Mit dem Vorschlag muss rechtzeitig, also im Auftakt, begonnen werden, mit der Ansatzvorstellung d³ und nicht a² (Takt 4 auf dieselbe Weise üben). Für die Leichtigkeit der gesamten Stelle kürzt man die punktierten Achtel – vor der Sechzehntel »Luft lassen«. Im Takt 4 kürzt man die Viertel. Ebenso kürzt man die angebundenen Triolen-Achtel. Setzt man die 4 Takte zusammen, nach Takt 2 atmen – keinesfalls nach Takt 3! Die Halbe in Takt 2 wird gekürzt, in Takt 3 muss es präzise auf 1 weitergehen. Die Viertel auf Zählzeit 4 in Takt 3 muss gehalten werden *(tenuto)* und zielt zur 1 im nächsten Takt. Das

Bewusstmachen der dynamischen Linie dient der Phrasierung und damit der Fasslichkeit der Musik für den Hörer. Dem Spieler verhilft sie zur Leichtigkeit; sie richtet sich nach den Schwerpunkten.

• »Comedietta«, 3. Satz (Notenbeispiel 5)
Hier besteht die Schwierigkeit in der Bindung großer Intervalle, im Registerwechsel und in der Rhythmik. Übehilfen: kleinteilig aufgliedern, sehr langsam beginnen, Schwerpunkte und Akzente beachten, bei Bindungen, zum Beispiel Takt 6, »mit der Zunge nachhelfen«.

• Leroy Anderson, Arr. Siegfried Rundel: »Clarinet Candy«, Verlag Rundel, Schwierigkeitsgrad 3 (Notenbeispiel 6)
Wieder sind es die großen Sprünge: Atemstütze bei Staccato-Tönen und Legato-Linien gleichermaßen halten; Kopf nicht auf und ab bewegen.

Notenbeispiel 7: »Waltz No. 2« von Dmitrij Schostakowitsch, Arr. Johan de Meij

Schnell (120 – 126)

Notenbeispiel 8: »Molly on the Shore« von Percy A. Grainger

Sehr heftig und lebhaft bewegt

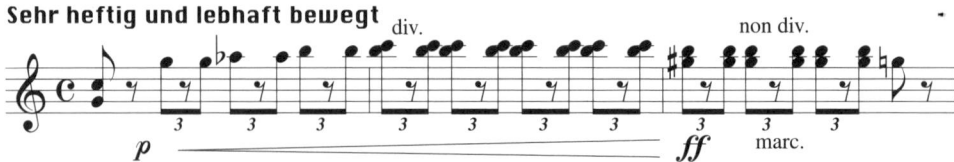

Notenbeispiel 9: »Der Traum des Oenghus 2« von Rolf Rudin

Notenbeispiel 10: »Mouvement Symphonique« von Stephen Adam

- Dmitrij Schostakowitsch, Arr. Johan de Meij: »Waltz No. 2« aus der Jazz-Suite No. 2, Verlag Amstel, Schwierigkeitsgrad 3 (Notenbeispiel 7) Schwierigkeit: hohe Lage, nicht alltägliche Tonfolge, *staccato*, schnelles Tempo. Man muss die richtigen Griffe für f^2 und b^2 benutzen!

Weitere sehr schwierige Stellen

• Percy Aldridge Grainger: »Molly on the Shore«, Verlag Southem, Schwierigkeitsgrad 3-4 (Notenbeispiel 8)
Schwierigkeiten: Betonung, schnelles Tempo. Eine große Erleichterung ist es, wenn die Spieler am Pult immer wieder abwechselnd eine Note pausieren.

• Rolf Rudin: »Der Traum des Oenghus 2«, Edition Flor, Schwierigkeitsgrad 4 (Notenbeispiel 9)
Schwierigkeit: schnelles Tempo. Die dritte Triolen-Achtel darf nicht zu stark betont werden, die Triole muss präzise sein (nicht swingen); auf Leichtigkeit der dritten Triolen-Achtel achten.

• Stephan Adam: »Mouvement Symphonic«, Schott, Schwierigkeitsgrad 5 (Notenbeispiel 10)
Schwierige Tonfolgen und Höhe.

Intonationsprobleme

Diese treten immer wieder auf und können verschiedener Natur sein: Innerhalb des Klarinettenregisters durch die Unzulänglichkeit der Instrumente, zum Beispiel schlecht stimmende Kopftöne e^1 bis b^1. Intonationsprobleme können zwischen Klarinetten und Flöten auftreten, da die Klarinetten im *pianissiomo* leicht zu hoch werden, während die Flöten tiefer werden. Verbesserung erhält man nur durch das Sensibilisieren der Spieler.

Das Hörbewusstsein beim Einzelnen muss geschult werden. Musiker, die ensembleerfahren sind, können leichter einen Ausgleich schaffen. Ungewohnte Akkorde und dichte Klänge können größere Schwierigkeiten bereiten.

Fundierter Unterricht

Für das Erarbeiten aller technisch schwierigen Stellen gilt gleichermaßen: langsam beginnen; falsche Töne vermeiden, da sie schwer zu beseitigen sind, auf lockere Fingerhaltung achten – ein zu schneller Beginn führt zur Verkrampfung; »aus den Fingern«, nicht aus dem Arm spielen. Für die positive Entwicklung eines Orchesters ist es unumgänglich, dass die jungen Musiker ihr Instrument richtig erlernen. Der junge Klarinettist muss angeleitet werden, im Lauf seiner Ausbildung alle Möglichkeiten seines Instruments auszuschöpfen, mit all den Problemen der Klarinette fertig zu werden. Solo-Literatur erweitert seinen musikalischen Horizont. Ensemblespiel macht ihn für das Zusammenmusizieren und eine reine Intonation sensibel. Das kann er nur bei einem Klarinettisten erlernen! Für jeden Menschen ist sonnenklar, dass man Bäcker nicht bei einem Schmied lernen kann, obwohl dieser auch ein guter Handwerker ist!

Nicht jeder Verein hat Instrumentalisten, die in der Lage sind, qualifizierten Unterricht zu erteilen. Und selbst wenn, ist es doch oftmals so, dass es an der notwendigen Zeit fehlt. Deshalb rate ich dringend – und das für jedes Instrument –, qualifizierte Instrumentallehrer für die Jugendausbildung zu finden. Die Musikschulen, und davon gibt es über 1000 in unserem Land, haben die Aufgabe, musikalische Breitenarbeit zu leisten und Nachwuchs für das Laienmusizieren auszubilden. Nehmen Sie diese beim Wort – gehen Sie auf die Musikschule in Ihrer Nähe zu, sofern Sie keine eigenen qualifizierten Lehrer haben. *Hans-Peter Blank*

Erschienen in Clarino 9/1999

Schwierige Orchesterstellen für Bassklarinette

Aufführungspraktische Hinweise

Beim Einüben schwieriger Passagen gelten grundsätzlich für alle Instrumente die gleichen Regeln, nämlich es zunächst in einem langsameren Tempo (aber im richtigen Rhythmus) zu probieren. Diese Regel ist eigentlich eine Binsenweisheit, die jedoch in der Praxis viel zu selten befolgt wird. Besonders Klarinettisten neigen dazu, schwierige Passagen eher (aus Angst?) überhastet zu spielen, um schnell darüber hinweg zu kommen. Doch ist dies eine sehr ineffiziente Weise und führt nicht wirklich zu einem Fortschritt.

Auch auf der Bassklarinette gelten die allgemeinen Regeln effizienten Übens. Für einige spezielle Probleme will ich aber im Folgenden versuchen, Hilfestellungen zu geben. Dies gilt für Bassklarinetten mit deutscher Griffweise, ist aber in einigen Aspekten auch auf Böhm-Bassklarinetten übertragbar.

Klangliche Bereicherung

Neben ein paar Tipps zu speziellen Griffen auf der Bassklarinette und einigen Hinweisen zur Übemethodik ist es mir aber auch ein Anliegen, die wichtige Rolle der Bassklarinette bei der klanglichen Bereicherung des Blasorchesters zu verdeutlichen. Am Notenbeispiel 1 aus Johan de Meijs »The Lord of the Rings« kann man sich den klanglichen Vorteil der Bassklarinette sehr schön klarmachen. Wie oft wird hier die Bassklarinette zusammen mit Fagotten und Tuben verwendet. Meist kommt auch das Baritonsaxofon noch hinzu, das in dieser Passage aber eine eigene Stimme hat. Die Bassklarinette hat gerade bei den Staccato-Achteln wesentlich mehr Klangfülle und eine größere dynamische Spannweite als das Fagott zu bieten. Diese sollte man an solchen Stellen auch ausnutzen und die halben Noten nicht zu leise anfangen, um sie verklingen lassen zu können.

Notenbeispiel 1: »The Lord of the Rings« (Johan de Meij), 1. Satz, ab Takt 14

Spezielle Griffe

Grundsätzlich sollte man auf der Bassklarinette Gabelgriffe vermeiden, auch solche, die auf der B-Klarinette üblich sind. Deshalb ist ein F-Heber für die Bassklarinette sehr wichtig. Das d^3 sollte folglich also auch mit 4 (siehe Notenbeispiel 2)

Notenbeispiel 2: »The Lord of the Rings«
(Johan de Meij), 1. Satz, Takt 151

oder 5 gegriffen werden – Griffkombinationen, die anscheinend auch immer wieder selbst professionellen Klarinettisten unbekannt, aber auf der Bassklarinette notwendig sind.

Das notierte c^3 (siehe Notenbeispiel 3) darf nicht wie auf der B-Klarinette üblich gegriffen werden – auch das ist ja ein Gabelgriff –, sondern, wenn ein C-Triller (linker Mittelfinger) vorhanden ist,

Notenbeispiel 3: »The Lord of the Rings«
(Johan de Meij), Beginn des 3. Satzes

regelmäßig damit oder ersatzweise mit dem rechten Zeigefinger (F-Klappe). Der auf der B-Klarinette übliche Griff für cis^3 ergibt bei den meisten Bassklarinetten ein c^3! cis^3 erhält man, wenn man zusätzlich den rechten Ringfinger hebt. Ansonsten kann man alle üblichen Griffe verwenden und selbst jede Menge Ungewöhnliches ausprobieren (auf jedem Instrument andere Möglichkeiten).

Alle hohen Töne müssen gut »vorweggehört« werden, da der Ansatz entscheidender als der Griff ist und Griffe alleine nichts nutzen. Für eine bessere Ansprache der hohen Töne besitzen viele Bassklarinetten in der Griffplatte des linken Zeigefingers ein Loch. Die Klappe drücken, ohne das Loch zuzudecken, verbessert die Ansprache aller Töne ab cis^3.

Technik

Technische Probleme auf der Bassklarinette sind eher selten, da sich der technische Schwierigkeitsgrad an den anderen tiefen (Holz-)Bläsern orientiert. Dabei hat die Bassklarinette in der Regel sicher die besten Möglichkeiten und ist wendiger als viele andere Instrumente. Trotzdem kann man sich manche Dinge natürlich vereinfachen.

Notenbeispiel 4: »The Lord of the Rings« (Johan de Meij), 1. Satz, Takt 113

Notenbeispiel 5: »The Year of the Dragon« (Philip Sparke), 1. Satz, ab Buchstabe D

Notenbeispiel 6: »Conflicts and Confluences« (Henk Badings), 1. Satz, ab Takt 27

Wie auf allen Klarinetten ist das Liegenlassen der rechten Hand bei kurzen Tönen erforderlich. So legt man (in Notenbeispiel 4) schon beim 3. Ton fis wieder die gesamte rechte Hand für das nachfolgende h auf. Schwierig kann der anschließende Wechsel h–dis werden, vor allem dann, wenn die Korken unter den entsprechenden Klappen nicht gut eingestellt sind und eine der Klappen zu weit gedrückt werden kann. Der Finger bleibt dann an der Kante hängen und gleitet nicht wie vorgesehen über die Rollen. Erschwert wird das Rollen auch, wenn zu viel Druck mit dem Finger gemacht wird oder dieser gar durchgedrückt wird und folglich hakt.

Tatsächlich richtig üben muss man die 4 Takte ab Buchstabe D im 1. Satz von »The Year of the Dragon« von Philip Sparke (Notenbeispiel 5). Vor allem das Zusammenspiel mit der 1. Soloklarinette sollte hier trainiert werden. Wer tatsächlich technische Schwierigkeiten mit dieser Stelle haben sollte, kann es neben einem langsameren

Übetempo vielleicht auch mal mit der rhythmischen Methode versuchen: Aus den Achteln werden dabei punktierte Achtel und Sechzehntel, dadurch gewinnt man bei jedem zweiten Ton etwas Zeit, die nächsten beiden zu orten. Danach dreht man den Rhythmus um. Da man nun eigentlich schneller (Sechzehntel) geübt hat, macht die Stelle im Originalrhythmus (hoffentlich) keine Probleme mehr. Mit der gleichen Methode sollte auch der Anfang des 3. Satzes zu bewältigen sein.

Auch Henk Badings »Conflicts and Confluences« hat es stellenweise ganz schön in sich, aber durch die Pausen zwischen den Läufen sollte auch die Stelle ab Takt 27 (Notenbeispiel 6) zu realisieren sein. Die Pausen sollte man nutzen, um in Takt 27 schon die Finger der rechten Hand für das Es in Takt 28 aufzulegen, dann ist dieser Lauf eigentlich kein Problem. Üben kann man dies auch, indem man die Läufe abwärts spielt, das ist oft leichter, klappt es abwärts, kann man sie auf- und abwärts, mit einer Viertel Pause,

Notenbeispiel 7: »Conflicts and Confluences« (Henk Badings), 2. Satz, ab Takt 48

Notenbeispiel 8: »Conflicts and Confluences« (Henk Badings), 3. Satz, Takt 126

Notenbeispiel 9: »Prinzessin Amaranth« (Paul Kühmstedt), ab Takt 40

dann ohne Pause üben. Ebenso verfährt man mit dem etwas kniffligeren Lauf in Takt 27.

Der Lauf im Notenbeispiel 7 hingegen dürfte nur daran kranken, dass er zu schnell gespielt wird und nicht an die 2. Klarinette anschließt – also Nerven behalten und Zeit lassen. Oft höre ich von Schülern: »Jetzt muss ich auch noch Dynamik machen.« Dabei ist das Mitspielen der Dynamik oft eine Hilfe, so auch in diesem Beispiel.

Der Lauf in Takt 126 des 3. Satzes (Notenbeispiel 8) ist einer der unangenehmeren Sorte, nicht zuletzt aufgrund der ungewohnten Tonart. Diesen Lauf muss man sich durch mehrmaliges langsames Spielen einprägen. Danach sollte man aber auch das Selbstvertrauen haben, ihn eben »laufen« zu lassen, ohne ständig zu kontrollieren, ob er nun richtig war.

Luftführung

Noch wichtiger als bei der B-Klarinette ist die Luftführung bei der Bassklarinette. Gerade in der schwierigen Lage von d^2 bis fis^2 (Notenbeispiel 9) muss man sehr gut stützen und viel Luft einblasen, ohne dabei Druck mit den Lippen auszuüben oder gar zuzudrücken. Die drei Töne aus Notenbeispiel 10 bergen sicher keine spieltechnischen Schwierigkeiten, aber es kommt eben darauf an, was man daraus macht. Wie immer

Notenbeispiel 10: »Phantom of the Opera« (Andrew Lloyd Webber, Arr. Johan de Meij), Takt 4

beim Musizieren sollte man ins Orchester hineinhören: Was haben andere zu spielen?

Die Frage der Klangbalance sollte gerade ein Bassklarinettist immer besonders im Blick haben. Am Anfang des »Phantom of the Opera« spielt die Flöte die Melodie, hinzu kommt ein »Klarinettenteppich« (Synkopen). Auf den Schlusston der Flöte setzt die Bassklarinette ein, dieses Muster trifft man sehr oft. In den »Ruhepausen« der Melodie bewegt sich in der Begleitung etwas. Wer nun der Flöte zugehört hat, wird auch in der richtigen Lautstärke mit dem richtigen Zungenstoß (weiches »Dah«) einsetzen, kurz aufblühen und den »Ball« an das Baritonsaxofon weitergeben. Mit diesen einfachsten Mitteln musikalischen Empfindens kann man ganz unglaubliche Wirkungen erzielen.

Dynamik

Wie alle Klarinetteninstrumente hat die Bassklarinette einen enormen dynamischen Bereich, den man als Bassklarinettist auch auskosten muss. Passagen wie die in Notenbeispiel 11 geben hierbei sehr viel her, und die Mühe wird von jedem Dirigenten auch anerkannt werden.

Artikulation

Jeder Bassklarinettist sollte über ein reichhaltiges Repertoire verschiedenster Artikulationen verfügen. Auf der Bassklarinette ist in dieser Hinsicht mehr möglich als auf der B-Klarinette. Dies muss man vorher aber erprobt haben, um es einsetzen zu können. Oft ist es hilfreich, die Zunge breit unter das Blatt zu legen und lang-

Notenbeispiel 11: »The Year of the Dragon« (Philip Sparke), ab Takt 9

Notenbeispiel 12: »Phantom of the Opera« (Andrew Lloyd Webber, Arr. Johan de Meij), Takt 96

sam beim Anspielen wegzunehmen. Dies ergibt einen weichen, aber kraftvollen Anstoß und sollte als Ausgangsbasis dienen, um mit verschieden harter oder weicher Zunge die unterschiedlichsten Ergebnisse zu erzielen.

Den weichen, aber vollen Anstoß kann man dann zum Beispiel in Takt 96 des »Phantom of the Opera« ausprobieren (Notenbeispiel 12). Hier bitte ich auch zu beachten, dass Staccato-Punkte oft dazu verleiten, zu schnell weiterzuspielen. Die Pause vor der nächsten Note wird oft nicht genug beachtet.

Solostellen

Gleich im 9. Takt der »Prinzessin Amaranth« von Paul Kühmstedt bekommt die Bassklarinette ein sehr dankbares Solo (siehe Notenbeispiel 13). Auch auf der Bassklarinette sollte man die kurzen Töne, also hier das g^1, mit der rechten Hand abdecken (siehe oben). Dazu viel Luft geben

Notenbeispiel 13: »Prinzessin Amaranth« (Paul Kühmstedt), ab Takt 9

(Solo) und die Sechzehntel nicht zu schnell spielen, da sie sonst für die Zuhörer schwierig zu erfassen sind. Ansonsten muss man hier nur die Nerven bewahren, schwer ist dieses Solo eigentlich nicht.

Kontrabassklarinette

Leider sind nicht viele Orchester in der glücklichen Lage, überhaupt ein solches Instrument zu haben, geschweige jemanden, der es auch noch »bedienen« kann. So stellt sich eher die Frage, wie es zu ersetzen ist: Dazu gibt es eigentlich nur zwei Möglichkeiten: Zum einen, falls die Lage es zulässt, kann man die betreffenden Passagen mit einer zweiten Bassklarinette spielen. Oft handelt es sich bei einer Kontrabassklarinettenstimme nur um eine (oktavierte) Verdopplung der Bassklarinette. Ist dies nicht möglich, sehe ich eigentlich nur die klanglich halbwegs befriedigende Lösung, die Stimme von einem Kontrabass übernehmen zu lassen.

Sololiteratur

Die Gelegenheit, mit diesem Artikel mal wieder Werbung für die Bassklarinette zu machen, möchte ich auch dazu benutzen, die mir bekannten Solowerke für Bassklarinette und Blasorchester aufzuzählen:

- Maurice Faillenot: »Chants de la Nuit«, Editions Robert Martin (Auslieferung Thomi-Berg)
- Jan Hadermann: »Spotlights on the Bassclarinet«, De Haske
- Kees Vlak: »Concerto for bassclarinet and band«, Molenaar   *Thomas Boll*

Erschienen in Clarino 11/1999

Martin Fröst

»Unbesiegbar? Auf gar keinen Fall!«

Die stahlblauen Augen fallen als erstes auf. Und groß ist er. Leger aber modisch gekleidet grüßt er mit festem Händedruck. Man duzt sich in Schweden. Wie ist jemand wirklich, der auf seiner Homepage als »einer der aufregendsten Musiker unserer Zeit« genannt wird? Einen »Rattenfänger« nannte ihn die Süddeutsche Zeitung und meinte das durchaus positiv, denn der schwedische Klarinettenvirtuose vermag zu verzaubern und zu verführen. Und darauf lässt man sich gerne ein. Martin Fröst ist kein Snob, kein Schnösel, kein lauter Hau-drauf-Gesprächspartner. Er spricht leise, wählt seine Worte wohl überlegt und wirkt bisweilen sehr nachdenklich. Vor allem ist er sehr sympathisch.

clarino.print: Der Komponist Carl Nielsen hat einmal gesagt, die Klarinette klinge »gleichzeitig warmherzig und komplett hysterisch, zart wie Balsam und kreischend wie eine Straßenbahn auf schlecht geölten Schienen«. Auch schimpfte er sie gelegentlich »eine hysterische Frau«. Einverstanden?

Martin Fröst: Was er da gesagt hat, ist absolut richtig. Allerdings ergeben sich aus diesem Zitat Probleme mit der Interpretation von Nielsens Klarinettenkonzert. Musiker, die das Concerto spielen, scheinen oft nur diese hysterische, kreischende Seite zu beachten. Nielsens Concerto aber hat sehr viele lyrische Seiten. Das sind die wichtigen Teile – so wie ich es spiele, ist es ein lyrisches Werk. Natürlich hat es auch seine dramatischen Parts. Und außerdem: Wenn man die hysterische Frau anführt, werden sich die Leute daran gewiss erinnern.

Warum hast du die Klarinette gewählt?

Man spielt eben ein Instrument, wenn man jung ist. Ich habe mit fünf Jahren mit der Geige begonnen, als ich eigentlich doch mehr an Fußball interessiert war. Übrigens schaue ich gerne Fußball. Wenn ich ein gutes Spiel sehe – mit einem Ensemble, mit den Solisten und manchmal sogar mit einem Chor – dann denke ich: Fußball ist

Kunst in bester Form. Ich habe dann das Klarinettenkonzert von Mozart gehört. Mein Vater brachte eine Aufnahme der Academy of St. Martin in the Fields mit dem Klarinettisten Jack Brymer mit. Ich habe mich total in dieses Concerto verliebt.

War es da schon klar, dass du ein professioneller Musiker werden würdest?

Dieses Mozart-Konzert war die Initialzündung. Ich entdeckte die Musik. Drei Jahre später, mit 15, bin ich nach Stockholm gegangen, um zu studieren. Mit 18 wechselte ich nach Deutschland, nach Hannover. Hier wurden die letzten Zweifel endgültig beseitigt. Die Zeit dort war eine sehr wichtige. Hans Deinzer war der Wendepunkt, weil er alles lehren konnte, und das auf einem sehr hohen Niveau. Er brachte eine Menge Musikgeschichte ein, ich lernte viele Partituren kennen. Er lehrte mich, Partituren zu verstehen.

Wie wichtig ist es, die Musik, die man spielt, wirklich zu verstehen?

Man kann viel reden und eine Menge analysieren. Doch die Frage ist: Kannst du es hören, wenn du spielst? Um die Frage zu beantworten: Es ist wirklich wichtig, die Musik auch zu verstehen. Aber das »Wie?« ist die Frage. Schaut man hinter das Werk oder analysiere ich es auf der Basis der Harmonielehre? Ich habe das bei Hans Deinzer gelernt. Er brachte die Partituren mit, wir haben sie studiert und viel darüber geredet. Aber nicht nur über die Partituren, wir sprachen auch über die Komponisten. Er brachte zum Beispiel Briefe mit und ich lernte viel über die Geschichte um die Werke herum. Das ist sehr wichtig. Ich weiß zwar nicht, wie sehr dieses Wissen dich beeinflusst, wenn du spielst, aber für mich ist es sehr wichtig, die Musik auch zu begreifen.

Ist man denn eigentlich je fertig mit der Ana-

lyse eines Werks? Gibt es den Punkt, an dem du sagst: Ich hab's!

Du befindest dich immer im Prozess. Du lernst immer dazu. Wenn ich einen Dirigenten treffe und mit ihm arbeite, dann lerne ich eine Menge von ihm. Auch wird durch das erneute Spielen eines Werks die Kommunikation mit dem Orchester besser und besser und besser. Wenn ich – zum Beispiel das Mozart-Konzert – manchmal dirigiere, dann habe ich einen anderen Blickwinkel auf das Werk. Und ich muss jeden einzelnen Teil viel besser kennen.

Ich habe viele positive Rezensionen und Zitate zu deinen Konzerten und CDs gelesen – wie wichtig ist eine gute Besprechung?

Ich lese nicht alles. Ob ich etwas lese oder nicht, das geht in Wellen. Manchmal habe ich keine Lust dazu und manchmal will ich es eben wissen. Das hat auch damit zu tun, was ich gemacht habe und was es für ein Repertoire war. Wenn ich etwas Neues ausprobiere, dann ist es natürlich interessant, wie die Leute reagieren, wie sie es verstanden haben – allerdings ist der Kritiker ja nur eine Person. Bei einer CD ist das sehr speziell. Denn oft ist es Standardrepertoire, das jeder schon mal aufgenommen hat. Der Kritiker wird eine Menge anderer CDs zum Vergleich heranziehen können. Natürlich ist es einerseits schön, eine positive Besprechung zu bekommen, im Vergleich zu 50 anderen Aufnahmen. Andererseits ist es, als ob man die Mona Lisa wieder und wieder malen würde. Du versuchst nur, es besser zu machen. Und aus diesem Grund ist es wichtig für mich, neue Dinge, neue Richtungen auszuprobieren.

Hast du denn jemals schlechte Kritiken bekommen?

Ja. *(Pause)* Oh ja. Und wenn du eine schlechte Kritik bekommst, dann berührt und bedrückt dich das immer ein bisschen. Wir sind schließlich Menschen und anfällig für solche Dinge. Aber eine Kritik sollte nicht zu sehr belasten. Für einen Komponisten kann eine Kritik sogar gefährlich sein. Er könnte seinen Stil ändern und das, was ihn eigentlich ausmacht, nicht mehr zur Geltung kommen lassen. Das ist für einen Komponisten heikel. Er kann auch denken: Für diese Sinfonien habe ich gute Besprechungen bekommen, also schreibe ich genauso weiter, denn ich mag gute Kritiken. Sehr sehr heikel. Natürlich ist es für Musiker nicht dasselbe. Man hat nicht die Kontrolle über die Situation.

Wenn du deine positiven Kritiken liest – fühlst du dich manchmal unbesiegbar?

Nein. Auf gar keinen Fall. Manchmal bin ich vielleicht sogar ein wenig zu selbstkritisch. Mich plagen ständig Zweifel darin, was ich tue, Zweifel an meiner Belastbarkeit. Ich denke allerdings, dass das normal ist, wenn man sehr sehr hart an seinen und für seine hohen Ziele arbeitet. Diese Zweifel kommen gelegentlich auf, wenn ich meine Aufnahmen anhöre. Ich denke nicht, dass die schlecht sind, aber es sind eben meine Gedanken. Ich habe hart gearbeitet, dorthin zu kommen, wo ich bin. Musikalisch muss ich immer überzeugen, das zu tun, was ich tun möchte. Die Belastbarkeit ist eine andere Sache. Wenn man so viele Projekte hat und über 100 Konzerte pro Jahr gibt und so viel Repertoire kennen muss – dann muss man vor allem schnell sein, diese Dinge in seinen Kopf zu bekommen. Es sind schon sehr hohe Anforderungen an Musiker heutzutage. Du musst in der Probensituation schnell sein, du musst neue Musik schnell verstehen. Das Größte ist eigentlich, tief in der Musik verankert zu sein – doch dafür brauchst du einfach mehr Zeit. Ich habe lieber mehr davon.

Ich mag es nicht, Dinge extrem schnell zu tun und zu lernen. Heutzutage geht es leider nicht anders, als in allem Höchstgeschwindigkeit zu erreichen.

Ist Kommunikation in der Musik wichtig?

Wenn du als Solist mit einem Orchester spielst, ist Kommunikation sehr wichtig. Wenn du wie in einer Schachtel spielst und nicht mit dem Orchester kommunizierst, dann wirst du nie ein so gutes Ergebnis erzielen können, wie wenn du wirklich versuchst, gemeinsam Musik zu machen. Wenn du zu sehr für dich alleine spielst, dann denkt das Orchester, der Solist ist zu weit weg. Ich versuche, mich immer einzubringen.

Und wie wichtig ist die Kommunikation zwischen Musiker und Publikum?

Das ist nichts, worüber man sich Gedanken machen sollte. Als ein Musiker wirst du immer herausragen und das interessierte Publikum – und meistens ist es das – wird dir gewissermaßen entgegenkommen. Ich denke, man sollte nichts erzwingen. Und es ist besser, sich auf die Musik und auf das, was auf der Bühne passiert, zu konzentrieren, als zu sehr zu drängen. Die Botschaft wird schon herauskommen. Jeder ist jederzeit aktiv – auch wenn du es gar nicht willst, gibst du etwas.

Würdest du dich wehren, wenn man dich als »Popstar der Klarinette« bezeichnen würde?

(lacht) Ich fühle mich als Musiker. Wenn du dir meine Aufnahmen anschaust – Brahms, Schumann, Mozart, Nielsen –, das ist keine Popmusik. Das ist das klassische Standardrepertoire. Und ich mache viel Neue Musik. Aber ich denke, es ist wichtig, dem Publikum die Tür zu öffnen und es reinzulassen, ihm diese Musik zu vermitteln. Ich teile nicht die Meinung, dass mit dem Publikum irgendetwas nicht stimmt und dass es diese Mu-

sik nicht mag. Das kann man doch nicht sagen. Man sollte bei der Musik das Publikum nicht mit seinen Gedanken und Gefühlen allein lassen. Die Klarinette ist ein wichtiges Instrument, aber es ist immer noch sehr klein. Selbst in der klassischen Musik. Ich denke, ich leiste einen wichtigen Beitrag, das Instrument selbst und in Neuer Musik zu entwickeln. Ich unterrichte auch viel auf meinen Reisen. Es ist wichtig, vorne zu stehen und zu sagen, dass man etwas für das Hier und Jetzt und für die Zukunft tut. Natürlich ist es wichtig, eine Vergangenheit zu haben und die tolle Musik. Aber das Wichtigste ist, darzustellen, wo wir heute sind.

Spricht dafür auch deine Nominierung für den Schwedischen Export-Preis? Steht diese – immerhin war auch ABBA nominiert – für einen Imagewechsel der klassischen Musik?

Es ist ein gutes Zeichen. Die Leute wissen jetzt immerhin, dass auch klassische Musik ein Exportschlager sein kann. Man sollte sich bewusst machen, dass es in Schweden nicht nur ABBA oder den Britney-Spears-Produzenten Max Martin gibt. Wir haben gute Musiker und Komponisten, die versuchen, ihre Musik hinaus in die Welt zu tragen. Ich fühle mich sehr geehrt, zu den Nominierten zu gehören – auch wenn mir völlig klar war, dass ich nicht gewinnen konnte. Nach dem Erfolg des Musicals »Mamma Mia« war es schwer, ABBA zu schlagen. Die haben mehr für den schwedischen Export geleistet – mit Sicherheit.

Apropos Schweden. Wenn ich an Schweden denke, kommen mir freundliche Menschen in den Sinn, blauer Himmel, das Meer, die wunderschöne Landschaft. Wenn ich allerdings die Krimis von Henning Mankell lese, dann zeichnet der Autor ein sehr düsteres und gefährliches Schwedenbild. Welches stimmt denn nun?

Das erste Bild stimmt. *(lacht)* Das ist das, was ich fühle, wenn ich nach Hause komme. Ich muss gestehen, ich habe keines dieser Bücher gelesen. Ich weiß, dass schwedische Autoren wie Stieg Larsson oder Henning Mankell im Ausland sehr erfolgreich sind. Ich denke, in Schweden haben wir beide Seiten. Schweden sind sehr offene Leute, vielleicht ein bisschen gelassener als andere. Wir hatten jahrelang eine sozialdemokratische Umgebung, wodurch wir uns geborgen fühlten. Gleichzeitig herrschte aber auch immer das Gefühl, Einwohner eines kleinen Landes zu sein. Wir schauten immer zu anderen auf. Das schadet eigentlich, denn so haben wir nie versucht, unsere Stärken auszuspielen. Da wo ich herkomme – Nordschweden –, ist es landschaftlich eher wild. Im Winter ist es meistens dunkel und es herrscht ein ganz anderes Klima. Du triffst auch nie so viele Leute, wie wenn du in einer großen Stadt lebst. Du bekommst einfach nicht so viel mit, du wirst mehr allein gelassen. Was übrigens sehr gut sein kann, denn manchmal stehen wir so unter Druck und werden von allen Seiten jederzeit stimuliert – von den Medien, vom Internet, von Filmen und der Musik, die wir ständig hören. Ich fahre mindestens zweimal im Jahr nach Nordschweden. Dort kann ich meine eigene Stimme finden. *Klaus Härtel*

Erschienen in clarino.print 6/2009

Verwendete und weiterführende Literatur

Allgemeine musikalische Zeitung, Bd. IV, Leipzig 1802

Bärmann, Carl: Tägliche Studien. Verlag Hoffmeister

Bauer – Deutsch, Bd. IV, Nr. 1121

Becker, Heinz: Klarinettenmusik. In: Musikinstrumente in Einzeldarstellungen, Bd. 2. Edition MGG, Kassel 1982

Becker, Heinz: Zur Geschichte der Klarinette im 18. Jahrhundert. In: Die Musikforschung VIII (1955)

Brettenthaler, Sabine: Mozart und Stadler, in: Clarino 7-8/1991

Brixel, Eugen: Bläser im Umfeld Mozarts, in: Clarino 2/1991

Brymer, Jack: Die Klarinette. Reihe: Yehudi Menuhins Musikführer, Fischer Taschenbuch 1986

Burney, Charles: Tagebuch einer musikalischen Reise durch Frankreich und Italien, 1770 bis 1772, Nachdruck der Ausgabe Hamburg 1772 Wilhelmshaven 1980 (= Taschenbücher zur Musikwissenschaft 65)

Hess, Ernst: Stadler. In: Die Musik in Geschichte und Gegenwart (MGG), hg. v. Friedrich Blume, Bd. 12

Kietzer, Robert: Der Fortschritt im Klarinettenspiel. Verlag Zimmermann

Koch, Ewald: Schule für Klarinette. DVFM

Kröpsch, Fritz: Etüden in 4 Teilen. Verlag C. F. Schmidt

Mozart – Brief und Aufzeichnungen, hg. in der Internationalen Stiftung Mozarteum Salzburg, gesammelt und erläutert von Wilhelm A. Bauer und Otto Erich Deutsch, Bd. II, Nr. 508, S. 517, Z. 30-32. Kassel etc. 1963

Schmid, Ernst Fritz: Vorwort zur Edition von Mozarts Bläserquintetten. In: Wolfgang Amadeus Mozart, Neue Ausgabe sämtlicher Werke, Serie VIII, Werkgruppe 19, Abt. 2 (Quintette mit Bläsern). Kassel etc. 1958

Uhl, Alfred: 48 Etüden für Klarinette

Walther, Johann Gottfried: Musicalisches Lexicon oder Musicalische Bibliothek, Leipzig 1732. Faksimile-Ausgabe in: Documenta musicologica, Reihe I, Bd. 3, hg. v. Richard Schaal. Kassel-Basel 1953

clarino.extra Band 1
Komponistenwerkstatt – Werke deutscher Blasorchesterkomponisten

Die »Komponistenwerkstatt« ermöglicht dem Leser einen tiefen Einblick in die Welt der Musik. Und zwar aus der Sicht der ultimativen Quelle ihrer Kreativität – der des Komponisten. In diesem Band werden Werke deutscher Komponisten vorgestellt. Das Buch ermöglicht dem Leser ein besseres Verständnis der kreativen Prozesse und kann durch dieses auch zu einer Stärkung der interpretierten Musik führen.

DVO Druck und Verlag Obermayer GmbH, Buchloe

96 Seiten, 12,90 Euro

ISBN 978-3-927781-49-8 · Erhältlich auf www.blasmusik-shop.de (BU282)

clarino.extra Band 2
Dirigierpraxis – Der Weg zum persönlichen Dirigierstil

Der zweite Band der Serie *clarino.extra* ermöglicht dem Leser einen tiefen Einblick in die Welt der Musik und des Dirigierens. Erfahrene Dirigenten geben Hinweise, Tipps und Tricks. Diese Hilfestellungen sollen helfen, seinen eigenen Dirigierstil zu entwickeln.

DVO Druck und Verlag Obermayer GmbH, Buchloe

96 Seiten, 12,90 Euro

ISBN 978-3-927781-50-4 · Erhältlich auf www.blasmusik-shop.de (BU283)

clarino.extra Band 3
Thema Saxofon – Fachliches, Praktisches und Unterhaltsames

Dieses Buch ist – soviel sei vorweggenommen – kein Saxofon-Lehrbuch. Vielmehr ist es ein Buch für Saxofon-Liebhaber und solche, die es werden wollen. Der Leser erfährt einiges über die Geschichte des Saxofons, seine Entstehung, Verbreitung oder seinen Weg ins Blasorchester. Auch die Praxis spielt eine große Rolle und einige ausgewählte Saxofonisten kommen zu Wort.

DVO Druck und Verlag Obermayer GmbH, Buchloe

96 Seiten, 12,90 Euro

ISBN 978-3-927781-51-1 · Erhältlich auf www.blasmusik-shop.de (BU284)

clarino.extra Band 4
Mozart und seine Zeit – Leben und Werk aus blasmusikalischer Sicht

Band 4 der Serie *clarino.extra* ist keine weitere Mozart-Biografie, sondern befasst sich mit Mozart und seiner Zeit. Beleuchtet werden beispielsweise die Bläser zu seiner Zeit, der »volle Blechsatz im 17./18. Jahrhundert« oder sein Verhältnis zu seinem Vater Leopold Mozart. Auch wenn Mozart kein reiner »Bläserkomponist« war, ist sein Werk doch geprägt von und für die Bläsermusik.

DVO Druck und Verlag Obermayer GmbH, Buchloe
96 Seiten, 12,90 Euro
ISBN 978-3-927781-52-8 · Erhältlich auf www.blasmusik-shop.de (BU286)

clarino.extra Band 5
Komponistenwerkstatt II – Werke internationaler Blasorchesterkomponisten

Dieser Band ist die zweite »Komponistenwerkstatt«. Der Leser lernt hier zahlreiche Werke internationaler Blasorchesterkomponisten kennen. Das Buch ermöglicht dem Leser einen tiefen Einblick in die Welt der Musik. Und zwar zum großen Teil aus der Sicht der Quelle ihrer Kreativität – der des Komponisten.

DVO Druck und Verlag Obermayer GmbH, Buchloe
96 Seiten, 12,90 Euro
ISBN 978-3-927781-53-5 · Erhältlich auf www.blasmusik-shop.de (BU293)

clarino.extra Band 6
Thema Trompete – Fachliches, Praktisches, Unterhaltsames

Ein Lehrbuch ist dieses Buch nicht unbedingt – soviel sei vorweggenommen. Vielmehr ist es ein Buch für Trompeter, Trompeten-Liebhaber und solche, die es werden wollen. Fakten spielen ebenso eine Rolle wie Legenden und Praxis. Und selbstverständlich kommen einige ausgewählte Trompeter verschiedener Genres zu Wort oder werden porträtiert.

DVO Druck und Verlag Obermayer GmbH, Buchloe
96 Seiten, 12,90 Euro
ISBN 978-3-927781-54-2 · Erhältlich auf www.blasmusik-shop.de (BU291)

clarino.extra Band 7
Orchesterpraxis – Wege zum schönen Blasorchesterklang

Band 7 beschäftigt sich mit dem Thema »Orchesterpraxis«. Hier geben renommierte Dirigenten wie Thomas Doss oder Johann Mösenbichler und Dozenten wie Doris Geller Tipps zur optimalen Sitzordnung, Interpretation oder zu Intonationsübungen. Wieso der Dirigent auch Regisseur ist und wie man Proben sinnvoll gestaltet, ist hier zu lesen.

DVO Druck und Verlag Obermayer GmbH, Buchloe
96 Seiten, 12,90 Euro
ISBN 978-3-943037-01-2 · Erhältlich auf www.blasmusik-shop.de (BU296)

clarino.extra Band 8
Übemethodik für Bläser – Ansatz – Atmung – Stütze

Das Thema »Übemethodik für Bläser« rückt besonders Ansatz, Atmung und Stütze in den Vordergrund. »Grundlagen der Blas- und Atemtechnik«, »Gedanken zur Funktionsweise der Zunge« oder »Der druckschwache Ansatz« bieten ein theoretisches Fundament zum praktischen Üben.

DVO Druck und Verlag Obermayer GmbH, Buchloe
96 Seiten, 12,90 Euro
ISBN 978-3-943037-03-6 · Erhältlich auf www.blasmusik-shop.de (BU298)